CW00343418

. . .

I fyd sy well . . .

Sian Eirian Rees Davies

Nofel fuddugol Gwobr Goffa Daniel Owen
Eisteddfod Genedlaethol Eryri a'r Cyffiniau 2005

Gomer

Argraffiad cyntaf – 2005

ISBN 1 84323 573 0

Mae Sian Eirian Rees Davies wedi datgan ei hawl dan
Ddeddf Hawlfreintiau, Dyluniadau a Phatentau 1988
i gael ei chydnabod fel awdur y llyfr hwn.

Dymuna'r cyhoeddwyr gydnabod cymorth
Adrannau Cyngor Llyfrau Cymru.

Argraffwyd yng Nghymru gan
Wasg Gomer, Llandysul, Ceredigion SA44 4JL

I
Mam a Dad

Nodyn

Mae nifer o brif ddigwyddiadau'r nofel hon wedi eu seilio ar atgofion a hanesion gwir. Serch hynny, ffug yw'r holl gymeriadau, hyd yn oed pan wyf wedi rhoi enwau ffeithiol ar y cymeriadau hynny.

Ffuglen a geir yma, felly, ac ymgolli yn y ffug yn hytrach na'r ffaith yw'r hyn yr hoffwn i'r darllenydd ei wneud. Onid cynnig diddanwch yw un o brif swyddogaethau llenyddiaeth wedi'r cyfan?

Pennod 1

Faint bynag y mae cenedl y Cymry wedi enill mewn dysg a gwareiddiad yn y canrifoedd diweddar, y maent hefyd wedi colli rhai o nodweddion godidocaf eu cymeriad cenedlaethol, sef oedd hyny – yr annibyniaeth dynol a safai yn syth-dalog a thremio i fyw llygad pawb a phob peth . . . Y mae y darllenydd yn deall. Ond os oes arno eisieu rhagor o eglurhad, dim ond iddo edrych o'i gwmpas, a chaiff engreifftiau byw o'r creadur amddifad hwnw sydd wedi colli addurniant y ddynoliaeth.

Llawlyfr y Wladychfa Gymreig,
Hugh Hughes, 1862

Ar fore rhynllyd digon ffyrnig o Fai llusgodd y Parch. Arnallt Morgan ei ferch Jane a'u holl eiddo ar gert Elis Plas a chychwyn ar eu taith. Doedd hynny ddim yn hollol wir, ychwaith. Nid aethant â'u holl eiddo fel y nododd Jane wrth ei thad sawl tro yn ystod cyfnod cythryblus y pacio. Nid aethant â'r goeden dderw na'r berllan ar waelod yr ardd gyda hwy, na'r Garn, na chysgod mynydd Nefyn, nac arogl y cloddiau eithin, na bedd ei mam: yr holl bethau cyfrin hynny yr oedd Jane yn berchen arnynt.

Eisteddai Jane bedair ar ddeg oed yn awr yn fud ar gefn y cert gan rythu i gyfeiriad y Tŷ Capel o blygion y flanced fawr oedd wedi ei thaenu'n dynn amdani. Ar ei gliniau fe orweddai cawell pydredig â phedair iâr ddigon

7

aflêr ynddi'n hel clecs. Drwy athrylith o gynllwyn
llwyddodd Jane i'w hachub rhag trochi yng nghrochan
Ruth, eu morwyn, y noson cynt. Yn eu henaint roedd y
pedair iâr wedi penderfynu rhoi diwedd ar eu dodwy. Y
crochan oedd y gosb am eu streic, gan gynnig swper olaf
hynod flasus i'r Parch. cyn iddo gychwyn ar ei daith y
bore canlynol. Gwyddai Jane na allai ganiatáu aberthu
bywydau'r ieir oedrannus i blesio blys ei thad, a gwyrth
yn wir oedd canfod wyth wy yng ngwaelod yr ardd y bore
cynt; gwyrth a achubodd fywydau'r ieir condemniedig
(ac a barodd i wyth o blant Mrs Ifans drws nesaf fynd heb
wyau i frecwast).

'Be ti'n drafferthu 'fo'r hen blu chwain 'na, Jane
Morgan?' poerodd Elis Plas gan godi'r gist olaf ar y cert.

'Sud ma' Shannon fach, Elis? Mae hi'n agos at ei
phedair oed rŵan, yn tydi?'

Gorfoleddai Jane o weld Elis yn cochi at ei glustiau.

'Enw anghyffredin, yn tydi? Shannon.'

'Enw sy'n y teulu.'

Yr un hen eglurhad a roddai Elis i haniad enw'i ferch
ond gwyddai'r ardal gyfan nad oedd yna'r un Shannon
wedi bod yn nheulu'r Plas cyn cenhedliad amwys y ferch
fach. Un llinach di-dor o Elins ac Elens a fu yn y teulu ers
cyn cof yn ôl Ruth ac, wrth gwrs, mi wyddai Ruth y
cyfan. Y glaw yn unig a barodd iddi fochel un noson
dymhestlog yn Nhafarn y Cetyn a digwydd sylwi ar
Margaret, gwraig Elis, yng nghysgodion y dafarn ar lin
morwr a chanddo acen estron. Nid oedd Ruth yn un i hel
straeon, cofiwch chi, ond ymledodd y stori am Margaret
a'i morwr â chyflymder ysgytwol drwy'r ardal, megis
gwyrth.

'Shannon. Afon yn 'Werddon 'di Shannon, yndê?'

'Dos i'r diawl, Jane Morgan.'

'Twll dy din di, Elis Plas!'

Roedd clywed merch y gweinidog yn cyfeirio'n agored at ran go bersonol o'i gorff yn ddigon i roi taw ar Elis. Gwenodd Jane wên fuddugoliaethus, gwên a ddiflannodd pan ddringodd ei thad â chryn drafferth i eistedd wrth ei hochr ar sedd galed y cert. Ymatebodd y Parch. i fudandod Jane fel tad oedd wedi hen arfer â merch bwdlyd; fe'i hanwybyddodd yn llwyr.

'Bore braf!'

Trodd Jane i edrych ar y niwl yn llyfu ei ffordd i lawr allt Peniel gan araf lyncu'r olygfa a'i dwyn oddi arni. Roedd hi'n sicr fod ei thad yn gwallgofi.

Methiant fu holl gynlluniau Jane i atal y bore tyngedfennol hwn rhag gwawrio. Llosgodd bob pamffled a llyfryn gwybodaeth oedd yn berthnasol i'r daith, gan roi'r bai ar flerwch Ruth. Diflannodd ambell grair hanfodol ar gyfer y daith, gan gynnwys ystôr o geirch a'r Beibl Mawr. Ceisiodd fynd ati i dorri sodlau ei hesgidiau gorau a difetha'i bonet a'i menig les â chols crasboeth; ni chaniatâi ei thad i Jane deithio i'r un man heblaw ei bod yn edrych ar ei gorau. Bu Jane hyd yn oed yn ystyried gwenwyno unig ferlen Elis Plas gyda hen swyn a ddysgodd Ruth iddi, ond roedd yn rhy hoff o geffylau i wneud hynny. Ond yn awr, a hithau'n gaeth ar gefn y cert a'i hesgidiau gorau wedi'u rhidyllu ganddi'n dyllau mân am ei thraed, difarai ei henaid am iddi fod mor drugarog â'r ferlen.

Y noson cynt yn ei hystafell, gyda'i heiddo wedi'i gywasgu i un gist fawr, addawodd iddi ei hun y byddai'n rhoi un cynnig arall ar ei hachub ei hun rhag gorfod gadael ei chartref am wlad na chlywsai amdani o'r blaen, ac na ddymunai glywed amdani ychwaith. Ei bwriad oedd cadw'n effro drwy'r nos gan ddal cannwyll o dan ei llygaid fel ei bod yn edrych yn welw a gwael, yn rhy wael i deithio fore trannoeth. Ond, yn anffodus, cafodd Jane noson hynod dda o gwsg y noson honno, a marc llosg cannwyll ar ei chwrlid yn dystiolaeth boenus i fethiant ei chynllwyn.

Teimlai Jane fel pe bai'r byd i gyd yn ei herbyn a synnai o weld y tywydd yn ogystal yn cefnu arni. Roedd hi wedi gobeithio am fore braf, yn dangos Ceidio ar ei gorau, mewn un perfformiad lliwgar o olau er mwyn iddi gael y cyfle i ffarwelio â'i hynodrwydd. Roedd Jane wedi amau y byddai'r fath brydferthwch yn peri iddi un ai lewygu neu wallgofi. Ffafriai'r syniad o wallgofi gan ei bod yn sicr y byddai'r cyflwr hwnnw'n rhoi diwedd ar gynllun hurt ei thad i ymfudo gan achosi iddo gywilyddio ar yr un pryd.

Trodd Jane ei golygon yn ôl tua'r Tŷ Capel a meddyliodd yn siŵr iddi glywed ei chalon yn torri gyda chlec o weld y cyfan: allt Peniel, creigiau'r Garn, porfeydd Glan-rhyd, y capel â'i frychni o feddi, ac yna ei chartref â'i furiau gwynion, yn diflannu o dan grawen gro'r niwl.

O ystyried ysbryd isel ei ferch edrychai'r Parch. Arnallt Morgan yn hynod galonnog. Siomedig oedd y swper a baratôdd Ruth iddynt y noson cynt, ac achosodd y llymru gryn ddŵr poeth iddo drwy'r nos. Serch hynny, nid oedd gan y Parch. mo'r cymeriad i gwyno; camp yn wir o ystyried nad oedd sedd bren y cert yn cynnig fawr o gysur iddo ac yntau'n dioddef o glwy'r marchogion. Cawsai ei atgoffa o dôn emyn cyfarwydd gan rythm sigl y cert. Trawodd ei fysedd ar ei glun yn unol â rhythm yr emyn a dechreuodd fwmian yr alaw – ychydig allan o diwn – yn ei lais bariton grymus.

'Gas gen i emyna Ieuan Glan Geirionydd,' tagodd Jane o grombil plygiadau'r flanced.

O rywle fe ddaeth geiriau'r emyn yn glir i gof y Parch. ac fe'i canodd ar dop ei lais:

> 'Ar fôr tymhestlog teithio'r wyf
> I fyd sydd well i fyw,
> Gan wenu ar ei stormydd oll –
> Fy Nhad sydd wrth y llyw.'

Ymunodd Elis Plas â'i lais tenor main:

> 'Er cael fy nhaflu o don i don,
> Nes ofni bron cael byw . . .'

Daeth yn amlwg i Jane y funud honno fod ei thad yn hollol wallgof. Ystyriai tybed a fyddai Elis mor garedig â mynd â'i thad i Wyrcws Pwllheli ar ôl ei danfon hi i Borthdinllaen? Câi hithau yna gyrraedd Lerpwl yn ferch amddifad a chreu hanes, creu cymeriad, creu enw hollol newydd iddi hi ei hun. Roedd hi'n casáu'r enw Jane. Efallai y byddai rhywun yn cymryd trueni drosti, yn dotio arni ac yn mynnu ei mabwysiadu. Neu'n well fyth, rhyw lanc ariannog â dwylo glân ganddo, gŵr busnes, yn disgyn dros ei ben a'i glustiau mewn cariad â hi ac yn dymuno ei phriodi. Dychmygodd y wisg briodas am ennyd a theimlodd ei chorff yn cynhesu. Ond byddai hynny'n golygu byw yn Lerpwl, yn Lloegr. Simsan oedd ei Saesneg llafar; roedd ei sillafu'n waeth, ac ni wyddai'r un adnod yn Saesneg. Yn yr ychydig funudau breuddwydiol hynny fe ailfabwysiadodd Jane ei thad yn warcheidwad arni ac aeth mor bell â rhoi hanner gwên iddo pan orffennodd ganu'r emyn gydag un *crescendo* cadarn:

> 'I mewn i'r porthladd tawel, clyd,
> O swn y storm a'i chlyw,
> Y caf fynediad llon ryw ddydd –
> Fy Nhad sydd wrth y llyw.'

Roedd hi'n dechrau gwawrio a daeth y goleuni â theulu Glan-rhyd i ffarwelio â'r Parch. a'i ferch wrth i ferlen Elis Plas droi ei thrwyn i gyfeiriad Edern. Prin y gwelodd y Parch. ei gymydog Gruffudd Davies yn codi'i law arno gan fod y ddresel dderw o'i flaen yn ei rwystro. Suddodd Jane a'i hieir o'r golwg y tu ôl i'r matresi plu. Gwyddai y byddai Catrin Davies, merch Gruffudd Davies, â rhyw wên sbeitlyd ar ei hwyneb pe bai'n mentro edrych arni. Tipyn o hwyl i drigolion yr ardal oedd cynllun anturus ei thad i fudo. Ac yn wir, pe byddai Jane wedi codi ei phen, byddai wedi gweld teulu Glan-rhyd yn cil-chwerthin ar ei thad a oedd yn ceisio cadw'r ddresel ar ei thraed, dal y cistiau a chodi llaw ar yr un pryd.

Rhedai diferion o chwys fel pistyll i lawr talcen y Parch. wrth iddo lafurio i gadw'i eiddo ar y cert. Teimlai'n ddig wrth ei ferch am syllu'n syn arno wrth iddi afael yn dynn yng nghawell yr ieir yn hytrach na chynnig cymorth i gadw pwysau'r cert yn wastad.

Cafwyd cynnwrf pellach pan fethodd y ferlen dynnu'r cert i fyny Allt Goch heibio'r Felin a bu'n rhaid mofyn cymorth perchennog boliog Tafarn Cefn Amlwch i wthio'r llwyth i fyny'r rhiw.

'Pryd y bu i chi ofyn am gymorth gan feddwyn o'r blaen, Barchedig?' chwarddodd y tafarnwr yn gras gan wneud sioe go dda o ffugio gwthio'r cert i fyny'r allt â nerth amwys ei freichiau tewion.

Ceisiodd y Parch. wenu ac ymuno yng nghellwair y tafarnwr, ond ni lwyddodd. Ni fyddai wedi ystyried gofyn i'r tafarnwr am gymorth oni bai nad oedd yr un enaid abl arall i'w weld yn y gymdogaeth (diolch i'r ffaith fod Jôs y melinwr a'i feibion wedi cuddio y tu ôl i'r sachau ŷd wrth weld y Parch. yn pasio drwy'r pentref).

Ni symudodd Jane o'i gorsedd ar y cert i helpu ei thad a'r tafarnwr, tra tynnai Elis ar benffrwyn y ferlen fel dyn o'i go. Yn hytrach, cafodd gryn bleser wrth edrych ar y tri a'u hwynebau cochion yn hwffian a phwffian eu ffordd tua Morfa.

'Pob lwc i chi a'r ledi fach,' mentrodd y tafarnwr wrth sychu chwys ei geseiliau ar hances bỳg a estynnodd o'i boced. Byddai'r Parch. wedi diolch yn gynnes iddo, ynghyd ag ysgwyd ei law, oni bai am y drewdod a lifai'n ddafnau sur o gorff y tafarnwr ac a achosodd iddo fygu, bron, a'i wneud yn fud.

Boed yn dywydd braf ynteu'n lawog ni lwyddai Morfa i edrych yn bentref dymunol i fyw ynddo. Roedd rhywbeth anwar yn perthyn i dyddynnod y pysgotwyr a fagai ddegau o blant a baw trwyn yn grachod hyd eu hwynebau. Gollyngai'r tai lojin ryw arogl chwerw i'r awyr, addurnid y strydoedd â charthion ceffylau a chyrff meddw morwyr am yn ail, ac yn y pellter fe glywid sgrechiadau'r porthladd fel anghenfil yn araf ysbeilio'r traeth dan regi. Gyda'i chlustiau fry a'i cheg yn ewynnog gan ofn, aeth merlen Elis Plas yn ei blaen drwy'r bedlam tua Phorthdinllaen yn hynod anfodlon.

Gafaelai Jane yn dynn yng nghawell yr ieir wrth i'r ferlen dynnu'r cert i lawr llwybr simsan y traeth tua'r porth. Gwyddai am draeth ar yr ochr ddeheuol i Lŷn o'r enw Safn Uffern, a thybiodd pan welodd y porthladd y byddai'n enw hynod addas ar y bae o'i blaen hefyd.

'Mae'r diafol ar waith yma,' sibrydodd Jane.

Roedd y Parch. Arnallt Morgan wedi hen arfer ag ebychiadau dramatig ei ferch. Wedi'r cyfan roedd gwaed Crynwyr Dolgellau ynddi o ochr ei mam. Serch hynny, fe roddai Ruth y bai ar ei hoedran. Bu'n egluro wrtho sawl tro fod y cyfnod o aeddfedu'n oedolyn yn un hynod gythryblus i ferch ac y dylai fod yn amyneddgar â Jane. Ychydig a wyddai'r Parch. am bethau felly a theimlai'n fodlon yn ei gyflwr o anwybodaeth. Tybiai'r Parch. nad oedd dylanwad ofergoeliaeth Ruth wedi bod o fantais i'w ferch ychwaith. Cafwyd sawl stori yn yr ardal am Ruth y Wrach yn suro llefrith Bron Heulog, yn dwyn llieiniau Meillionnen ac yn erthylu gwartheg Bryniau. Gwyddai'r Parch. nad oedd yr un defnyn o wirionedd yn y straeon celwyddog hyn, ond daliodd ei hun ar sawl achlysur yn ildio iddi mewn ofn pan godai honno ei llais arno.

'Dipyn o olygfa, yn tydi?' mentrodd Elis Plas.

'Fawr o gabolwr geiria, nag wyt Elis?' atebodd Jane drachefn.

Anwybyddodd y Parch. ei eiriau pigog. Ni bu geiriau caredig rhwng y ddau ifanc ers amser ac ni ddisgwyliai y byddai hynny'n newid bellach er bod Jane ac yntau'n gadael y wlad. Gadawodd y ddau i gweryla tra aeth yntau i chwilio am Capten McFadden yn Nhafarn Tŷ Coch.

Nid oedd y Parch. wedi mentro camu i dafarn ers y profiad annifyr hwnnw yn Ffair Pwllheli yng nghwmni merch go wyllt o Lannor. Roedd o'n ifanc bryd hynny, wrth gwrs, a heb y bol chwyddedig oedd ganddo bellach a frwydrai'n ddyddiol am ryddid yn erbyn botymau caeedig ei wasgod. Tynnodd ei het cyn mentro i'r dafarn, gan ystyried pam yn y byd y dangosai barch at sefydliad a fagai'r natur waethaf mewn dynion.

'Capten McFadden?'

Nid oedd yr un corff arall yn y dafarn heblaw am greadur byr a blewog a siglai'n araf o ochr i ochr ger y bar llychlyd. Adroddodd y Parch. bader yn gyflym o dan ei wynt cyn mynd ati i ysgwyd llaw â'r barf ar goesau.

''Tis nice to meet you, father.'

Tasg anodd oedd ceisio deall slobran Gwyddel meddw.

'I'm not a Father. I'm a minister.'

Yng ngolau gwantan y bore, prin y gallai'r Parch. weld llygaid llwydion y Capten o dan ei aeliau gwyn a thrwchus . . .

'Priests, ministers . . . all the same to me, lad. Have you no children?'

. . . ac edrychai ei drwyn fel casgliad o gregyn gleision yn blith draphlith hyd ei groen.

'Yes. A daughter.'

'There you go then! You're a father to some poor soul! Let's be havin ye' on my schooner then.'

Amhosib oedd gweld ble'n union roedd ceg y Capten y tu ôl i'w farf ddiddiwedd yn llawn staeniadau amwys ac, o ganlyniad, anodd oedd gwybod a oedd yn cellwair â'r Parch. ai peidio. Dilynodd y Parch. gamau rhyfeddol o fras y Capten tuag at amlinell y sgwner yn y pellter. Gwnaeth arwydd ar Elis Plas i'w dilyn tua'r platfform llwytho yn y pellter.

Trwy drwch y niwl gallai Elis hefyd ddilyn amlinell y sgwner, a gwyddai ddigon am longau i wybod nad llong o sylwedd oedd y bwgan pren a welai o'i flaen.

*   *   *

Y tywyllwch. Dyna oedd y peth gwaethaf gan Jane. Yn rhyfedd ddigon, doedd oglau cyfoglyd y moch o'i chwmpas yn poeni fawr ddim arni. Nid amharai'r gwlybwedd tywyll a lifai'n donnau hyd ei hesgidiau arni ychwaith. Nid oedd ganddi ofn udo'r llong yn nwylo egr y môr, er bod ei stumog yn troelli'n un swp o uwd. Ond roedd arni ofn y tywyllwch. Gafaelai'n dynn yng nghawell yr ieir gan obeithio na allent synhwyro'i hofn yn yr un modd ag y medrai ceffylau a chŵn.

Canai chwerthiniad cras Elis yn ei phen. Diolchai am ambell sgrech a ddeuai o gyfeiriad y moch i amharu ar ei chofio. Ysgerbwd o long oedd sgwner Capten McFadden; ffaith yr oedd Elis yn ddigon parod i'w rhannu â hi.

'Ti'n medru nofio?'

Y diawl. Daeth Jane i'r casgliad fod rhywbeth yn yr awyr ym Morfa a sugnai bob owns o foneddigeiddrwydd o bob gŵr yn y cyffiniau. Ni chafodd unrhyw gymorth gan griw Capten McFadden wrth gamu ar y llong ac, o ganlyniad, disgynnodd ar ei phen i'r dec. Yn sgil y styrbans fe godd sgerti Jane hyd at ei phengliniau, a phan nad oedd y Parch. yn ei gwylio fe afaelodd y mêt yn

16

ei hieir gan fygwth eu taflu dros yr ochr oni bai ei bod yn dangos ei choesau eto. Drwy lwc, mi ddaeth y Capten i'r golwg a rhoi pryd o dafod Gwyddelig i'r mêt gan achub yr ieir o enau angau. Dyna pam y dewisodd Jane gadw cwmpeini i'r anifeiliaid yn nhywyllwch yr howld, a'i sgerti wedi'u tynnu'n dynn amdani, yn hytrach na mentro bywyd ei hieir am y trydydd tro gyda'r criw ar y dec.

*   *   *

Roedd y Parch. eisoes yn chwydu cynhwysion amryliw ei stumog yn seremonïol dros ochr y dec, a rhwng yr hyrddiadau fe bendronai ynglŷn â sut y gwelai bys yn saethu'n slic o'i weflau ac yntau heb flasu'r un bysen ers pythefnos. Gwyddai fod y criw oll yn chwerthin am ei ben a doedd dim yn waeth ganddo na bod yn achos hwyl i eraill. Serch hynny, bu salwch môr yn fendith i'r Parch. gan i symudiadau swnllyd ei stumog dynnu'i sylw oddi ar y ffaith fod Elis Plas a'r ail fêt wedi colli un drôr o'r ddresel dderw i'r môr wrth ei llwytho ar y llong.

Er y chwydu, ni allai'r Parch. anghofio mudandod ei ferch drwy gydol y daith tua'r porthladd. Roedd hi'n ei gasáu, fel yr eglurodd wrtho sawl tro yn ystod y diwrnodau diwethaf, ond nid oedd wedi dechrau credu ei geiriau tan y bore hwnnw. Adwaenai'r olwg sarrug a oedd bellach yn meddiannu wyneb ei ferch; golwg ei gyn-wraig. Roedd o'n hen law ar fyw gyda dynes oedd yn ei gasáu, ond nid oedd wedi dychmygu y byddai ei ferch fach ef yn dangos yr un atgasedd tuag ato ag y gwnaethai ei wraig. Heddwch i'w llwch.

*   *   *

Dechreuodd fwrw glaw. Gwrandawodd Jane yn astud ar y dafnau caled yn disgyn yn gerrig o ddŵr ar hyd y dec.

Pita . . .

Pita-pat. Pita-pat . . .

Pita-pat-a. Pit-a-pat-a . . .

Pita-a-pat-a-go-ni-a. Pi-ta-pat-a-go-ni-a . . .

Roedd enw'r wlad yn ei chyrchu i bob man fel drychiolaeth. Enw caled, enw estron, enw mor ddieithr iddi â rheswm ei thad dros fudo.

'Rhyddid, Jane fach. O gyrraedd yr Amerig fe fyddwn yn rhydd.'

Rhyddid; mor amwys oedd ystyr y gair hwnnw i Jane. Ni wyddai pa gyffion a deimlai ei thad mor dynn amdano a barai iddo ei phlygu a'i phacio i wlad yn llawn addewidion chwedlonol. Yn ei rhwystredigaeth fe rwbiai Jane ei boch yn ôl ac ymlaen ar hyd wyneb garw'r gasgen gyfagos gan fwynhau'r boen chwerw-felys a achosid gan y pren yn crafu hyd ei chroen ifanc. Cyflymodd ei symudiadau nes bod y pren yn llyfn a'i boch yn goch gan sgriffiadau. Llifai ei dagrau'n llosg i'w briwiau, a daeth blinder yn bwysau ar ei chorff gan ei gorfodi i orwedd. Pan ddaeth y Parch. â bara ceirch a thamaid o gaws iddi'n ginio fe'i darganfu hi ynghwsg y tu ôl i fareli wisgi (anghyfreithlon) Capten McFadden, gyda'r ieir yn clwcian yn bryderus uwch ei phen. Fe swatiodd y Parch. wrth ei hymyl a cheisiodd ei wneud ei hun yn gyfforddus ar y llieiniau sach yr oedd ei ferch wedi'u mabwysiadu'n wely. Chwaraeodd â'i gwallt a ddisgynnai'n gudynnau hirion o dan ei bonet. Sylwodd ar y cripiadau coch ar ochor ei hwyneb ac anwesodd y briwiau'n araf. Roedd hi'n ferch fach chwech oed unwaith yn rhagor, yn mynnu mwythau ganddo cyn disgyn i drwmgwsg. Gwingodd Jane yn anfodlon o dan gyffyrddiad ei fysedd. Byddai'r Parch. wedi gwneud unrhyw beth i weld cysgod gwên ar wefusau ei annwyl Jane.

Pennod 2

Y mae 100 erw o dir yn rhodd i bob teulu o 3 ymvudwr, ac hevyd i'r vintai gyntav hon roddion y Llywodraeth o geffylau, ychain, devaid, gwenith, celvi, &c. Mae y pwyllgor hevyd yn danvon prwyadon ymlaen llaw i godi tai a pharatoi erbyn glanio'r ymvudwyr. Mae eithav sicrwydd am y tir a geir; ond nid oes sicrwydd am vaint y rhoddion, ond bernir y byddant o leiav yn 5 ceffyl, 10 o warcheg, 20 o ddevaid, 2 neu 3 pecaid o wenith, aradr briodol i'r wlad, a choed a ffrwythau i bob teulu.

Y Wladva Gymreig, Lewis Jones

Ar fwrdd y Córdata,
Môr Iwerydd,
30ain o Fawrth, 1865.

Fy annwyl deulu,
Yr wyf yn cymryd y cyfle hwn i ysgrifennu ychydig o linellau atoch gan obeithio eich bod yn iach a chysurus.

A chan obeithio y caf air neu ddau yn ôl gennych . . .

Rwyf yn anfon fy atgofion gwresocaf atoch oll o ddyfroedd pelledig fy nhaith i'r Wladychfa Gymreig.
Daeth y dydd i 'nghyfeillion a minnau, y Bonwr Lewis Jones ac Ellen ei wraig, ddechrau

tuag at wlad yr addewid megis breuddwyd. Y
mae'r anrhydedd a deimlwn ein tri . . .

. . . Lewis a minna gafodd ein dewis mewn difrif, ond ei
fod yn mynnu dod â'i 'rosyn' gydag o . . .

> *. . . o gael ein hethol gan Bwyllgor y Wladychfa*
> *Gymreig i ddarparu ar gyfer glaniad y fintai*
> *gyntaf y tu hwnt i eiriau. Teimlaf fy mron yn un*
> *ymchwydd o falchder . . .*

. . . ac o chŵd o glywed Lewis yn lliniaru'i hun yn
nosweithiol rhwng cluniau'i 'rosyn'.

> *. . . o gael fy nghystuddio â'r fath gyfrifoldeb*
> *breintiedig.*
> *Anodd yw dygymod â'r ffaith fod y ddelfryd o*
> *gael llannerch o'r ddaear i genedl ddewr y*
> *Cymry gael ymsefydlu arni bellach yn gynllun*
> *ymarferol ar waith. Fe wyddoch pa mor galed yr*
> *wyf innau ynghyd â fy nghyfeillion ar Bwyllgor y*
> *Wladychfa wedi brwydro er mwyn gwireddu'r*
> *ddelfryd. Ni hoffwn roddi rhif . . .*

– 476, diolch yn fawr i chi –

> *. . . ar y milltiroedd yr wyf wedi eu troedio wrth*
> *deithio o dref i dref, o farchnad i farchnad ac o*
> *gwrdd i gwrdd yn rhannu fy ngweledigaeth*
> *ynglŷn â phwysigrwydd a photensial symud i'n*
> *hannwyl Batagonia.*
> *'Gymry annwyl, awn i feddiannu'r tir!'*
> *Bu fy ngeiriau'n ysbrydoliaeth i nifer a hoffwn*
> *ystyried i'm angerdd wrth areithio fod yn brif*

*ysgogiad i'r Cymry deallus hynny sydd wedi
ymuno â'r fintai gyntaf.*

A phrin yw'r rhai deallus yn eu plith, yn anffodus.
Carpiau'n wisg a'u pocedi a'u boliau gweigion yn unig
ysgogiad iddynt fy nilyn fel defaid i wlad na chlywson
nhw amdani o'r blaen. Gwastraffu 'ngweledigaeth ar
wehilion o bobl!

*Er y gwaith caled sy'n wynebu fy nghyfaill Lewis
Jones a minnau unwaith y byddwn yn cyrraedd
pen ein taith, hyderaf y byddwn yn ymroi ein
hunain i'r gwaith gyda gwên. Fel y gwyddoch,
rwy'n weithiwr gwydn, a da o beth yw hynny gan
y bydd angen symud nifer sylweddol o wartheg,
cesyg a moch o Buenos Aires i'r Wladychfa
ynghyd â chyflenwad digonol o wenith a thatws
ar gyfer cynnal aelodau'r fintai yn ystod cyfnod
cynnar a hynod anturus y Wladychfa.*

*Hoffwn achub ar y cyfle i ganu fy niolchgarwch
di-ben-draw i'r masnachwr hael y Bonwr Thomas
Duguid. Mor ffodus yr ydym ei fod am roddi
benthyg . . .*

– ar log go uchel

*. . . yr holl offer angenrheidiol fydd angen arnaf i
a'm cyd-wladwyr wrth fynd ati i osod y seiliau ar
gyfer y Wladychfa. Anifeiliaid, bwyd, hadau,
offer adeiladu ac amaethu, ynghyd â llong i
symud y cyfan i Batagonia; nid oes terfyn ar ei
haelioni. Edrychaf ymlaen yn eiddgar at ysgwyd
llaw â'r bonwr pan ddaw i'n cyfarfod ym
mhorthladd Buenos Aires.*

a'i sicrhau fod y Pwyllgor wedi ildio i'w swnian i
ganiatáu llain sylweddol o dir iddo am ei 'garedigrwydd'.

> *Mawr yw fy niolch yn ogystal i Dr Guillermo*
> *Rawson, Gweinidog Cartref yr Ariannin. Gŵr*
> *anrhydeddus ydyw . . .*

. . . yn ôl Lewis beth bynnag. Duw a ŵyr pam y rhoddwyd
y cyfrifoldeb iddo ef a'r meddwyn Love Jones-Parry o
Fadryn i drafod amodau'r Wladychfa â Rawson y llynedd,
yn enwedig a minnau'n ŵr gweithgar a chydwybodol,
wedi hen arfer â theithio ar foroedd tymhestlog yr
Iwerydd. Ac onid oes gennyf y ddawn ragorol i drin pobl?

> *. . . sy'n cydymdeimlo'n ddirfawr â sefyllfa*
> *wasaidd y Cymry o dan orthrwm y Saeson.*

Rwy'n gobeithio hynny, beth bynnag.

> *Onid ym 1833 y cipiodd Coron Lloegr ynysoedd*
> *y Falklands drwy dollti gwaed gwŷr eofn a*
> *beiddgar yr Ariannin?*
> *Bu'r daith i'r byd newydd hyd yma'n*
> *dymhestlog iawn. Profasom ystorom erchyll ar y*
> *bedwaredd noson a bu'r llong yn rowlio o'r naill*
> *don i'r llall fel bo'r teithwyr a'r creiriau oll yn*
> *gawl o anhrefn yn yr howld. Bu hyrddiadau'r*
> *tonnau mor hegr fel y bu i mi gredu y buasem yn*
> *cael ein sugno i grombil y dyfroedd ar sawl*
> *achlysur. Roedd Ellen Jones, gwraig Lewis*
> *Jones, yn pryderu'n ddirfawr . . .*

Pryderu yw ei harbenigedd mewn bywyd. Nerfau drwg,
medda hi. Cwynfannus fel cath, meddwn inna.

. . . yn ystod y rhyferthwy ac mi wnes fy ngorau i

beidio

> *ei chysuro. Da o beth yw fy mod wedi profi sawl*
> *ystorom o'r fath ar fy nheithiau dirifedi.*

Er nad oedd hynny'n ddigon o reswm gan y Pwyllgor i'm
caniatáu i fynd gyda Lewis y llynedd i'r trafodaethau â
Rawson. Byddent wedi ailystyried eu penderfyniad pe
baent wedi gallu gweld Lewis yn udo fel merch wrth i
gynnwys hynod amrywiol a hylifol ei stumog ffrydio
drwy'i geg a'i drwyn yn ystod y storm, er i mi geisio'i
gysuro a'i suo i gysgu ar sawl achlysur.

> *Teimlaf fod teithio yn rhan annatod o*
> *'nghymeriad. Yn aml y mae'r awydd i anturio yn*
> *mynd yn drech na mi.*

Pe baech, rieni, ond yn fy ngalw i'n ôl atoch . . .

> *Wrth gwrs, ers yr oesoedd boreuaf y mae y*
> *Cymry wedi hynodi eu hunain fel anturwyr ac fel*
> *ymfudwyr. Yr oeddent wedi dyfod o'r dwyrain i*
> *diroedd eithaf gorllewin Ewrop ymhell cyn amser*
> *goresgyniad y Rhufeiniaid. Cymdeithas o wŷr*
> *gwaraidd oedd y gymdeithas gynnar honno, wrth*
> *reswm. Nid oes gennym hanes am farbariaid fel*
> *Indiaid America neu frodorion croenddu*
> *Awstralia.*

Pwynt dadleuol, mi wn, yn enwedig wedi i mi deithio i
bellafion Cymru a dod o hyd i'r boblach sy'n byw ym
meistonnau aflan ein cenedl yng nghysgod y tir bras.

Yr oeddem yn amaethu'r ddaear, yn trin
meteloedd ac yn cloddio am lo ymhell cyn y
gweddill o wledydd Ewrop. Cafwyd dynion o
sylwedd addysgiadol yn y cyfnod cynnar hwnnw'n
ogystal gan gynnwys gwŷr llên a arferent
lythrennau Groeg i ysgrifennu, fel y llwythau
Celtaidd oll. Nid oes ond angen darllen ychydig
dudalenau agoriadol Llawlyfr y Wladfa Gymreig
o law'r Bonwr Hugh Hughes i sylweddoli bod ein
hiaith a'n cyfreithiau yn sylfaen ar gyfer iaith a
chyfreithiau Prydain gyfan. O ystyried ein
campweithiau fel cenedl, onid annheg yw ildio i
orthrwm Lloegr? Onid teg yw ceisio am dir, am
ddechrau newydd, er mwyn annog rhyw ddadeni
diwylliannol a chymdeithasol yn ein plith? Mae
angen i'r Cymry deimlo eu bod mewn gwlad ac
iddi sylfeini Cymreig, lle mae'r senedd a'r
gyfraith yn cael eu gweithredu'n gyfan gwbl yn y
Gymraeg. Gosod y sylfeini; dyma fy nhasg mewn
difrif, annwyl deulu. Y mae llwyddiant fy ngwlad
yn pwyso ar fy ysgwyddau a theimlaf mor
feiddgar ac anturiaethus ag unrhyw Sais sydd
wedi ennill tir yn enw'r Frenhines Fictoria.

'Awn yn llu i chwilio am le i osod sylfaen gwlad a thref.
Awn i feddiannu'r tir!'

Cymeradwyaeth fyddarol ac edmygedd y Pwyllgor o
weled teuluoedd yn ymuno'n lluosog â'r fintai yn sgil fy
ngeiriau grymus . . .

Er nad wyf o gymeriad rhyfelgar, mor ddiolchar
yr wyf yn awr fy mod wedi mynd i aros gyda'n
cyfaill Robert Jones yn Wigan, Sir Gaerhirfryn.

Mi fydd yr hyfforddiant a gefais yno gyda'r
Lancashire Rifle Volunteers *yn amhrisiadwy os*
yw hanesion Webster, ail fêt y Córdata, *am yr*
Indiaid sydd ym Mhatagonia yn wir. Fe ddywed
Webster mai geiriau rheibus sy'n addurno eu
hiaith, a'u bod yn dras hynod greulon, yn ymladd
ac yn lladd ymysg ei gilydd. Mae'r gwŷr megis
coed cyhyrog meddai, yn mesur ymhell dros chwe
throedfedd o uchder a'u penwisgoedd brawychus
yn ymdebygu i frigau drain.

Yr un anfad sy'n lliwio cymeriadau'r merched yn eu plith
yn ogystal. Ceir hanes sawl un ohonynt yn hudo
Ysbaenwyr i gydorwedd â hwy gan eu mygu â'u gwallt
cyn eu lladd â'u hewinedd.

Wrth gwrs, nid yw'r chwedlau hyn yn simsanu
dim ar fy mhenderfynolrwydd. Mi laddaf â'r
cledd a byddaf farw ar y cledd os bydd hynny'n
sicrhau diogelwch y Wladychfa. Dywedodd
Webster wrthyf: 'Pe câi Patagoniad lwmpyn o
siwgwr ar dy ben, fe'th lyncai o'r golwg mewn
dim!' Atebais innau nad mor hawdd â hynny y
gellid llyncu Cymro!

Terfynaf gan obeithio y daw i'ch llaw yn
ddiogel. Cofiwch fi . . .

Cofiwch fi . . .

at fy Nhad a dywedwch fy mod mewn iechyd
rhagorol,

Yn ffyddlon oddi wrth eich mab,

Y Bonwr Edwin Cynrig Roberts.

Pennod 3

Gwerthwch eich ffermydd, bob copa walltog, a dewch gyda ni i Batagonia yn un fintai gref; does allu yn y byd saif o'n blaen.

Araith Angen y Cymry am Wladfa,
Edwin Cynrig Roberts

Most emigrants arrived by railway or coastal steamer and spent between one and ten days at a Liverpool lodging house waiting to board their ship. Many were victims of harassment and fraud. Emigrants often arrived tired and bewildered especially if they did not speak English.

Merseyside Maritime Museum

Dadmerai'r arogl ei ffordd drwy drwch y niwl i groesawu'r sgwner i ddyfroedd duon y porthladd. I Capten McFadden roedd porthladdoedd fel merched; pob un â'i blas a'i harogl ei hun. Hwren oedd Lerpwl, yn ymestyn ei breichiau i unrhyw ddihiryn a ddeuai'n obeithiol i ymdrochi ynddi. Serch hynny, roedd yno hwyl i'w gael gyda'r hwren hon a thynnodd y Capten anadl ddofn gan yfed arogl y llaid a'r llid ar yr awel. Gwenodd. Câi noson dda heno.

Nid Capten McFadden oedd yr unig ŵr a edrychai'n eiddgar tua'r lan. Sychodd y Parch. Arnallt Morgan y chwys oer oddi ar ei dalcen. Bu'r daith yn un esmwyth,

27

yn ôl y criw, ond prysurai cyhyrau ei stumog i anghytuno'n gry â hwy. Er gwaethaf ei goesau crynedig, llwyddodd y Parch. i ymsythu a rhoi bloedd o orfoledd wrth weld amlinell lwyd y porthladd yn ymdoddi tuag ato drwy'r niwl. Yn ei gyflwr o lawenydd nid oedd wedi sylwi ar ei ferch yn dringo i'r dec ac yn syllu mewn ofn ar yr olygfa arswydus yng nghysgodion y porthladd. O'i blaen gwelai Jane gorff marw yn cael ei lusgo o'r dŵr i gwch rhwyfo bychan, a hynny gan ferch nad edrychai fawr hŷn na hi ei hun. Aeth y ferch yn frysiog drwy ddillad y corff llipa – corff a edrychai fel pe bai'n perthyn i fachgen ifanc, plentyn efallai, rhyw ddeg oed. Ceisiodd Jane weiddi ar y ferch ond nid oedd sŵn yn dod o'i cheg. Cafodd y ferch hyd i becyn ymhlith carpiau'r bachgen, a chyda gwên fe ollyngodd y corff yn ôl yn ddiseremoni i'r dŵr.

'Nefoedd! Diolch i'r Arglwydd am ein tywys i'r Nefoedd!' gwaeddodd y Parch.

Gwyddai Jane fod lle go boeth wedi ei gadw'n arbennig i'w henaid hi yn Uffern, ac o ystyried mai Lerpwl oedd diffiniad ei thad o'r Nefoedd, nid oedd cols cochion Uffern yn codi'r un arswyd arni bellach. Gan geryddu'i thad am ei ormodiaith, dringodd Jane yn ôl i'r howld i nôl ei hieir gan benderfynu aros yno yn nrewdod y moch. Gwell oedd ganddi fentro'i bywyd ymhlith yr anifeiliaid diafolaidd yn hytrach na chyda'r satan o ferch yn y porthladd.

Dociodd y sgwner, a daeth gwehilion *Waterloo Dock* megis haid o lygod mawr i gnoi eu ffordd i fyny'r rhampiau pren at fwrdd y llong. Y merched a lwyddodd i ddringo ar y bwrdd gyntaf, yn wynebau peintiedig a pheisiau cochion i gyd. Nid oedd y Parch. wedi gweld y fath ferched yn ei fywyd o'r blaen a synnodd o weld un ohonynt yn rhoi cusan hir i'r Capten cyn cosi rhan go bersonol o'i gorff er mawr bleser i'r criw. Ei wraig, mae'n siŵr, tybiodd y Parch. gan godi'i het i gyfarch y ferch ryfeddol.

Rhedodd plant esgyrnog ar y bwrdd gan ymestyn eu dwylo mewn angen at y Parch. Dechreuodd yntau ollwng ambell ddimai i'w bysedd budron cyn i'r Capten gipio'i gwdyn arian oddi arno.

'Don't show the bastards you've got money or they'll kill yer the second you step off this schooner,' rhybuddiodd.

Anodd oedd gan y Parch. gredu y byddai plant Duw yn dangos y fath ysgelerdra tuag ato. Serch hynny, cuddiodd ei gwdyn arian ym mhlygion ei grys. Ni allai fod yn sicr mai Cristnogion oedd y plant tywyll a rynnai o'i flaen.

Dechreuodd y criw gario eiddo'r Parch. yn frysiog i lawr y rhampiau i'r lan. Byseddwyd y dodrefn yn eiddgar gan ferched oedrannus y stryd, a diflannodd dwy gadair i fwrlwm y porthladd. Gwaeddodd y Parch. am gymorth wrth iddo wylio'i greiriau'n magu coesau ac yn diflannu i bellafion tywyll y dref.

'Can't control the evil that surrounds us, Father. We can but pray.'

Ceisiai'r Parch. anwybyddu'r wraig hagr yng nghôl y Capten a chwarddai'n uchel am ei ben.

'I know about the whiskey.'

Mewn difrif ni wyddai'r Parch. fawr ddim am y wisgi, ond ei fod yn tybio nad oedd ei ferch i fod i ddod o hyd iddo o dan y llieiniau sach yn yr howld.

'Are you threatening me, Father? I'm already damned. Might as well enjoy myself whilst I'm here!'

Taflodd y wraig ei phen yn ôl mewn chwarddiad uchel gan beri i'w wìg cringoch ddisgyn i'r llawr. Doedd ganddi ond ychydig flew seimllyd ar ei phen ac ni wyddai'r Parch. prun ai chwerthin ynteu cydymdeimlo.

Gwrandawai Jane yn astud oddi ar y grisiau oedd yn arwain i fyny i'r dec. Teimlai fod yn rhaid iddi fynd i ymyrryd yn y trafodaethau. Doedd ei thad yn fawr o giamstar wrth drin geiriau. Gwyddai hynny wedi blynyddoedd o wrando ar ei bregethau syrffedus.

'My Tada will pay you double.'

Ruth oedd wedi dysgu'r frawddeg hollbwysig hon i Jane ychydig ddyddiau ynghynt. Arian oedd yr unig awdurdod ar fywydau'r Gwyddyl, yn ôl Ruth, a da o beth oedd dysgu ychydig ymadroddion Saesneg i gadw trefn ar y diawliaid. Cyrhaeddodd geiriau Jane megis swyn i glustiau'r Capten a gorchmynnodd i'r criw fynd ati i mofyn yr hyn oedd yn weddill o greiriau'r Parch. ar y lan a'u cludo i dŷ lojin cyfagos. Diolchodd y Parch. yn arw i'r Capten am ei garedigwydd gan gyfri â dwylo crynedig yr arian oedd yn ddyledus iddo. Wrth fyseddu ei gwdyn arian rhyfeddol ysgafn fe ddifarai'r Parch. ei enaid am fod mor hael â'r plant budron ychydig funudau ynghynt.

'Ye stink of pigs,' poerodd y wraig foel o dan ei gwynt wrth Jane.

'Well gen i ogleuo 'tha hwch yn hytrach nag edrych 'tha hwch,' mentrodd Jane yn ei hôl.

Anwybyddodd y Parch. eiriau hallt ei ferch. Roedd ei galon eisoes yn strancio'n gyflym yn ei frest ac nid oedd ganddo'r egni i ymdopi â'i ferch yn strancio'n ogystal.

'One of these rascals is a drawer richer, and you, I'm afraid to say, Father, a drawer poorer. 'Tis the strange way of life!' chwarddodd y Capten.

'Strange way of life . . .' ategodd y Parch. yn isel.

Ei ddresel. Ei annwyl ddresel. Dresel ei fam a'i dad o'i flaen, ac anrheg briodas ei daid a'i nain cyn hynny. Disgynnodd y Parch. ar ei bengliniau gan anwesu gofod y drôr fel petai'n lleddfu briw. Pe bai'n gwybod bod y drôr bellach yn gartref go ddefnyddiol i gimwch gwantan ar wely'r môr ym Mhorthdinllaen efallai na fyddai'r Parch. yn galaru'i golled i'r fath raddau, ond roedd dychmygu bodiau anwar gwehilion y porthladd yn bachu ei annwyl ddrôr yn ddigon i beri iddo golli dagrau.

'Where to?' cyfarthodd y mêt cyntaf a'i freichiau'n drwm o gistiau.

Ni allai'r Parch. ei ateb, dim ond syllu ar ei annwyl ddresel.

'Smiths, Moorfields,' sibrydodd Jane yn ansicr gan geisio cuddio cawell ei hieir oddi wrth y mêt. Nid oedd wedi anghofio'i ymdrechion i'w difa ym Mhorthdinllaen.

'Runners for Smiths, Moorfields!' udodd y mêt ac ymddangosodd sgerbydau o fechgyn o gysgodion y doc gan godi crair a chist yr un a sgrialu tuag at orwel myglyd y dref.

*　　　　*　　　　*

Yn ôl Ruth, Smiths oedd un o dai lojin parchusaf Lerpwl. Cyn dechrau'r daith nid oedd gan Jane reswm dros amau gair ei morwyn oedrannus, ond o gofio i Ruth ganu clodydd Capten McFadden a'i griw, nid rhyfedd oedd canfod Smiths megis tŷ Jeroboam o'i blaen.

'Rum, Gin, Ale, Wine, Good Beds and Steak Chops.'

Wrth ddarllen yr arwydd pydredig uwch drws y tŷ lojin fe sylweddolodd Jane mai dyma'r unig gyfle a gâi i ffoi. Ac fe'i cymerodd.

'Shift yer arse,' chwarddodd y mêt wrth wthio heibio'n agos iddi â'r cistiau. A dyna a wnaeth. Gan ddal cawell ei hieir yn agos at ei bron fe gododd odrau ei sgerti a sleifio i lawr y lôn gul a redai wrth ochor y tŷ lojin. Crafai'r cawell yn swnllyd yn erbyn waliau'r adeiladau ac ofnai Jane i rywun ei chlywed. Trymhâi'r ieir yn ei breichiau wrth iddi gyflymu'i chamau mewn ymdrech i ddod o hyd i'r ffordd fawr a ddaethai â hi yno o'r porthladd. Rhedai chwys yn ffrwd o driog i lawr ei chefn a bu'n rhaid iddi orffwys. Gwyddai na allai ddianc ymhell yn sgil pwysau cawell yr ieir. Meddyliodd am ennyd, a daeth i benderfyniad poenus. Agorodd ddrws y cawell ac estyn yr ieir o'u cartref cyntefig gan roi cusan ar eu pig, un ar ôl y llall. Y rhain oedd yr unig anrheg a roddodd ei mam iddi. Ond yn hytrach na hedfan i'w rhyddid fe ddechreuodd yr ieir ddilyn camau brysiog Jane, gan herio'i gilydd ymlaen drwy glwcian. Nid oedd gan Jane ddewis ond eu hel ymaith drwy eu dychryn â sgrech aflafar a chwip â'i chêp. Trwy lygaid dagreuol syllai Jane ar y pedair iâr yn diflannu'n betrusgar yn ôl ar hyd y lôn gul a'u clochdar cras yn canu yn ei phen.

*   *   *

Wrthi'n eistedd ar ben casgen wag yn y cowt yr oedd Herman Svelson, landlord y parchus Smiths. Syllai'n fodlon ar fwrlwm ei dŷ lojin gan nodi ei glyfrwch ei hun am addasu ei gyfenw Swedaidd i'r enw derbyniol Saesneg, Smith. Gwyddai na fyddai mor boblogaidd pe bai'n agored ynglŷn â'i dras; roedd y cyhoedd yn hynod wyliadwrus o estroniaid. Hawdd oedd iddo ffugio mai o Gernyw yr hanai pan gwestiynai rhai ei acen. Onid oedd pawb yn siarad yn od yng Nghernyw? Rhoddodd Herman wên foddhaus wrth iddo blannu'i law i'w drowsus a dechrau mwytho'i gala mewn dathliad o'i lwyddiant. Caeodd ei lygaid a dechrau suddo i'r cyflwr bendigedig hwnnw na lwyddodd ei wraig i'w suo iddo ers cantoedd. Byddai wedi llwyddo i gyrraedd uchafbwynt ei bleser oni bai iddo gael brathiad go hegr yn ei goes. Agorodd Herman ei lygaid yn wyllt. Roedd yn gas ganddo lygod mawr. Gyda rhyddhad sylwodd mai pigiad gan iâr a gawsai ac edrychodd â pheth dirmyg ar y pedair iâr oedrannus a darfodd arno yn ei nefoedd ar ben y gasgen.

'Hermaaaaaaaaaaaaaaaan!'

Er iddynt fod yn briod ers deunaw mlynedd, fe synnai Herman yn ddyddiol at wich aflafar llais ei wraig. Nid oedd ryfedd iddo ddioddef o boenau aruthrol yn ei ben.

'Lodgers just in. Need more chops!'

Waldiodd Herman ei dalcen mewn anobaith o gofio nad oedd wedi bod at y cigydd y diwrnod hwnnw i mofyn rhagor o *chops*. Gwyddai y byddai ei wraig yn fwy na bodlon i rostio'i *chops* yntau pe bai'n dod i wybod am esgeulustra. Ystyriodd ei g'leuo hi, dechrau bywyd newydd mewn tref newydd – Llundain efallai – cyn cofio ei fod eisoes wedi ffoi oddi wrth Sofia, ei wraig gyntaf, yn Stockholm. Roedd yn gas ganddo fod yn was i wragedd. Edrychodd yr eildro ar yr ieir, a blagurodd cynllwyn yn goeden yn ei ben.

'It's chicken on the menu tonight, my love!'

*　　　　　*　　　　　*

Ni wyddai'r Parch. Arnallt Morgan ble i droi. Roedd criw Capten McFadden wedi gollwng ei eiddo'n blith draphlith o'i amgylch wrth ddrws y tŷ lojin gan ddiflannu ar frys yn ôl tua'r porthladd. Tyfodd yr eiddo'n furiau o ddodrefn a chistiau gan beri iddo faglu ar ei wyneb wrth geisio cyrraedd y drws i'w guro er mwyn cael gair â'r landlord.

O glywed y cythrwfl ar ei throthwy aeth Sarah Smith ar frys i agor drws ei thŷ lojin. Ni allai ddioddef dynion na allai ddal eu diod ac roedd sawl meddwyn wedi blasu ei dwrn am fentro piso ar ei stepan drws cyn heddiw. Er mawr foddhad iddi darganfu weinidog yn ceisio ymsythu ar ôl syrthio i fudreddi'r stryd. Ymdrechai'r gweinidog i sychu'r staeniau amheus oddi ar ei drowsus â'i hances boced. Sylwodd Sarah ar y nwyddau dirifedi a oedd gan y gŵr rhyfeddol hwn. Dodrefn o'r gwneuthuriad gorau. Roedd gan y creadur yma geiniog neu ddwy – roedd hynny'n amlwg. Estynnodd Sarah ei llaw gyhyrog i gyfarch y Parch. gan hanner moesymgrymu wrth ei dywys dros y rhiniog.

'Welcome sir. Welcome to the infamous Smiths Guest House.'

Bu'r croeso annisgwyl yn ddigon i hudo'r Parch. i anwybyddu'r arogleuon annymunol a lifai'n stêm o gorff y ferch nobl o'i flaen.

'We have a few bunks available in the shared sleeping quarters . . .'

Synnai Sarah ei hun at ansawdd ei Saesneg. Gwyddai mai ymennydd merch o dras oedd ganddi yn y bôn ac mai hagrwch ei hedrychiad (ynghyd â hagrwch ei hymddygiad) oedd yr unig beth oedd wedi ei dal yn ei hôl rhag llwyddo yn y byd. Mwya'r piti.

34

'. . . *but a man of your class might prefer a private room?*'

Pa wahaniaeth oedd i Herman a hithau gysgu yn y gegin pan oedd hanner sgrin neu fwy i'w wneud allan o'r gwirionyn o ŵr a safai'n nerfus o'i blaen? Chwibanodd ar ei morwyn i ddechrau ar y gwaith o gario eiddo'r gweinidog i'w ystafell.

'*Are you travelling alone, sir?*'

Bryd hynny y sylweddolodd y Parch. nad oedd ei ferch gerllaw.

'*My daughter . . . she was right beside me earlier . . . must have left something behind on the schooner . . .*'

Gwenai Sarah'n awgrymog. Roedd hi'n hen gyfarwydd â'r drefn bellach ac roedd profiad wedi dangos iddi mai gweinidogion oedd y gwaethaf. Ni hoffai ddychmygu sawl gŵr a ddaethai â merch ifanc ar ei fraich i aros yno gan honni mai ei 'wraig' neu ei 'ferch' oedd hi. Gwyddai'n iawn mai puteiniaid Great Howard Street oedd y merched hynod ifanc hyn a glywsai'n gadael gwlâu eu 'gwŷr' a'u 'tadau' yn oriau mân y bore gyda niwcs yn boeth yn eu pocedi.

'*I'll be sure to send her directly to your room when she arrives, sir.*'

'*She may be lost . . . or hurt . . . or . . .*'

'*Mary! Make yourself useful and go and find this gentleman's daughter!*'

Gollyngodd y forwyn y gist y bu'n ei llusgo'n aflwyddiannus i gyfeiriad y grisiau. Ciciodd fag carped o'i ffordd yn flin gan frasgamu tuag at y drws.

'*Wos 'er name?*' gofynnodd y forwyn yn hy.

'*Jane. Jane Morgan,*' atebodd y Parch. yn bryderus.

'I'll find 'er,' ychwanegodd y forwyn yn uchel.

'May I ask your name, sir?' holodd Sarah drachefn.

'Arnallt Morgan, miss.'

Cymro! Twpsyn o'r radd eithaf! Hawdd fyddai godro'r pris uchaf am yr ystafell o'i gwdyn arian ef!

'We'll settle up tomorrow morning. You look very tired. Shall I bring you and your . . . daughter's supper up to your room?'

Wedi ystyried y cynnig hael am ennyd fe sylweddolodd y Parch. ei fod yn hynod flinedig a theimlai ei frest yn boenus ofnadwy wedi'r oriau llafurus yn hyrddio cynhwysion ei stumog dros ochr y llong.

'But my daughter . . .'

'. . . will be found and directly brought up to your room,' sicrhaodd Sarah y Parch.

Nid oedd Sarah wedi arfer â gŵr yn dangos cymaint o gonsýrn tuag at butain o'r blaen, ond fe wyddai o gynnig gwely i nifer ohonynt mai creaduriaid digon od oedd y Cymry.

*   *   *

'It's chicken on the menu tonight, my love!'

'Cheers Herm!' atebodd Mary'n chwareus gan beri i Herman ddisgyn oddi ar ei gasgen i ganol yr ieir a sbydodd i bellafion y cowt dan sgrechian. Ni wyddai Herman yn iawn pam y llwyddai'r forwyn ifanc i'w gynhyrfu gymaint.

'Got no work to do?' poerodd gyda'i geg yn llawn pridd.

'Lookin' for some preacher's daughter. Jane. Seen any posh girls pass by?'

'No,' atebodd Herman cyn neidio i gyfeiriad un o'r ieir hynafol a'i dal gerfydd ei gwddw.

'Didn't know we had any chickens,' ychwanegodd Mary'n fusneslyd.

'We didn't,' a diflannodd Herman i fyny'r grisiau a arweiniai i'r gegin i gyfeiliant plop-plop pen yr iâr farw'n rhowlio'n belen yn ôl i'r cowt.

Gwingodd Mary wrth deimlo llygaid yr iâr farw'n syllu arni a rhedodd i gyfeiriad y ffordd fawr a arweiniai tua'r porthladd.

'Jane? Jane?' ond doedd dim pwrpas gweiddi. Sawl merch a rannai'r un enw? Byddai'n ei chael ei hun ynghanol torf o Janes gyda hyn, pob un ohonynt yn honni mai hi oedd merch y gweinidog, mewn ymdrech i ddengyd oddi wrth fywyd o fudreddi a thlodi. Serch hynny, rhoddodd Mary ail gynnig ar y gweiddi:

'Jane? Jane the preacher's daughter?'

Ni allai Jane fod wedi camddeall y geiriau a glywai'n diasbedain i lawr y ffordd i ddilyn ei chamau tua'r porthladd. Trodd Jane i edrych am y ferch a alwai ei henw ond ni allai weld yr un wyneb cyfarwydd ynghanol y dorf brysur a drawai'n donnau hegr o gyrff i mewn i'w gilydd.

'Ruth?'

Ai ei morwyn oedd wedi dod i'w hachub? Er bod Jane yn gwybod yn iawn mai gwrthod mudo gyda'i thad a hithau a wnaeth eu morwyn oherwydd cryfder ei gwreiddiau yng Ngheidio, nid oedd wedi gallu ei hatal ei hun rhag gobeithio y deuai Ruth gyda hwy yn y diwedd.

'Ruth? Ruth?'

Dechreuodd Jane redeg yn ôl tua'r tŷ lojin i gyfeiriad y llais a alwai ei henw.

'Ruth? Who's Ruth? You Jane?'

Syllai Jane yn geg agored ar y ferch arw yr olwg o'i blaen.

'Yes. I'm Jane.'

'The preacher's daughter?'

'Yes.'

'C'mon then. Ye' father's lookin' for ye' and I've got better things to do than be chasin' after silly rich girls.'

Gafaelodd Mary'n dynn ym mraich chwith Jane a'i llusgo gerfydd defnydd llawes ei ffrog yn ôl i gyfeiriad y tŷ lojin.

'My chickens. Have you found my chickens?'

Gwenodd Mary.

'Yep. They're all back at Smiths.'

Peidiodd Jane â thynnu yn erbyn y ferch a gadawodd iddi'i hun gael ei llusgo megis plentyn ganddi. Ai ffawd oedd hyn? Gwyddai fod yr ieir wedi dod â lwc dda iddi dros y blynyddoedd. Onid oedd Ruth wedi bendithio'r pedair â swyn arbennig ar ôl iddynt fyw yn dilyn ymosodiad gan lwynog tra bo'r deuddeg iâr arall wedi mynd yn ysglyfaeth iddo? Ai arwydd oedd hyn iddi ildio i ddymuniadau ei thad a'i ddilyn i Batagonia? Hoffai pe bai ganddi'r un reddf gyfrin ag oedd gan Ruth i synhwyro'r dyfodol (digon amwys) drwy symudiadau'r gwynt. Gollyngodd Jane ei hun o afael Mary gan redeg i fyny'r lôn gul at ddrws y tŷ lojin. Fe'i rhegwyd sawl tro wrth iddi daro i mewn i drigolion carpiog y stryd yn ei brys i geisio achub ei hieir.

Ffrwydrodd Jane drwy'r drws gyda'r fath frys nes peri i Sarah estyn y dryll o blygion ei sgerti. Rhewodd Jane yn ei hunfan. Doedd hi erioed wedi gweld dryll o'r blaen.

'What's your business? I'm no woman to be messing with!'

Roedd Jane eisoes wedi deall hynny ac yn ei hofn ni allai ateb yr horwth chwyslyd o'i blaen.

'Speak up!'

'Looking for my Tada. Arnallt Morgan. And my chickens.'

Teimlai Sarah ychydig yn siomedig. Er iddi ddal ei dryll at ben sawl cythraul, nid oedd wedi cael y cyfle i saethu'r un cnaf hyd yma.

'First room on your right, second floor.'

'And my chickens?'

Rhoddodd Sarah wên fach fodlon.

'You'll find them soon enough.'

Pennod 4

Y mae Patagonia yn anwyl i mi,
Gwlad newydd y Cymry mwyneiddlon yw hi,
Anadlu gwir ryddid a gawn yn y wlad,
O gyrraedd gormesiaeth a brad:
Gwlad, Gwlad, pleidiol wyf i'm gwlad,
Tra haul y nen uwchben ein pau,
O! bydded i'r Wladfa barhau.

Gwlad Newydd y Cymry, Lewis Evans (Meudwy).

Casa Maria de Huéspedes,
Buenos Aires,
Ariannin,
2il o Fai, 1865.

Fy annwyl deulu,
Ysgrifennaf y llythyr hwn atoch gan obeithio y daw i'ch llaw yn ddiogel ac eich bod chwi oll yn iach. Prysuraf i ychwanegu y byddaf yn lletya yn y cyfeiriad uchod am oddeutu wythnos arall pe baech yn dymuno . . .

trafferthu

. . . ysgrifennu ataf ac y mae'r Fon Maria wedi sicrhau cadw unrhyw lythyr a ddaw i mi wedi i mi ddechrau am Batagonia.
Pleser di-ben-draw fu'r daith i'r Ariannin. Mor ffodus yr ydym fod Duw wedi dal yn ôl y

dyfroedd tymhestlog a fu'n ein cyrchu yn ystod dyddiau cynharaf y fordaith.

Do, mi achubodd yr Arglwydd ein heneidiau rhag unrhyw storm. Cawsom ein hachub ganddo'n ogystal pan dorrodd tân allan ar fwrdd y llong, diolch i chwyddwydr darllen Ellen. Cawsom ein hachub gan yr Arglwydd am y trydydd tro pan dorrodd un o olwynion y peiriannau a'n gorfodi i fynd dan hwyliau i Bahia i'w thrwsio. Synnwn i ddim mai rhyw swyn a sibrydodd Ellen a achosodd y ddamwain. Duw a ŵyr, mae hi'n mynd allan o'i ffordd i wneud fy mywyd i'n boen. Wythnos o oedi ac wythnos o uffern. Lewis a'i 'rosyn' ynghudd yn eu stafell lojio yng ngwres y dydd ac yng ngwres Sodom eu serch, a minnau'n methu â phenderfynu pa wayw oedd waethaf – sŵn eu mwytho ynteu brathiadau'r mosgitos.

Roedd gen i ast fel Ellen unwaith, yn mofyn ci pob cyfle a gâi ac yn dianc oddi wrth ei gwaith yn corlannu i mofyn cŵn y cwm i'w marchogaeth. Yn rhyfedd ddigon, mi saethais hi.

Bu gweddill y daith yn gyfnod cynhyrfus gyda Lewis a minnau'n gwneud trefniadau dirifedi . . .

. . . pan oedd ei wraig yn caniatáu iddo wneud hynny . . .

. . . ynglŷn â sefydlu'r Wladychfa. Edrychaf yn ôl ar y dyddiau delfrydol hynny a dreuliodd Lewis a minnau yng ngwres haul y pnawn yn sgwrsio gyda gwên.

Mae angerdd ei eiriau y tu hwnt i'm hamgyffred a rhaid cyfaddef ei fod gystal areithiwr â mi bob tamaid. Efallai nad oes ganddo yr un ystod eang o eiriau ond mae ei lais fel cân grwndi yn suo'r sawl sy'n gwrando arno, yn fy suo i wrth i mi fwyta ei eiriau o . . .

> *Mor benderfynol o eiddgar yr ydym ein dau i sicrhau llwyddiant y Wladychfa!*
>
> *Mi gyrhaeddsom Buenos Aires ar y 29ain o Ebrill ar bnawn hardd o heulog. Gwefreiddiol ydoedd y profiad o gamu oddi ar y llong i'r porthladd a gwir yw fod Duw wedi gosod ei fendith ar y dref; gwŷr a gwragedd Duwiol a charedig yn barod eu croeso ac Eglwys yn addurno pob stryd; tai cysurus yn gylch o amgylch bwrlwm llwyddiannus y farchnad; porthladd yn llawn llongau cadarn â'u cargo yn ffrwythau o liwiau nas gwelais o'r blaen. Hyn i gyd yn wledd i'r llygaid tra bo adar o bob lliw a llun yn chwyrlïo'n gân uwch ein pennau. Eden yn wir, a'm hunig obaith yw y bydd y Wladychfa yr un mor llewyrchus â'r dref hynod hon.*

Hynod yn wir. Hynod o ddiawl. Cyraeddasom o dan gwmwl o law mân a lynai'n annifyr ar yr aer cynnes. Fe udai Ellen yn rhywle bod y tywydd yn creu hafog â'i chyrls, ond ni allwn weld unrhyw wahaniaeth yn ei hedrychiad. Edrychai'r un mor blaen ag arfer.

'Lliwgar' oedd disgrifiad Lewis o'r dref, ond cyfaddefodd mai ychydig ohoni a welsai pan fu yno ddiwethaf gan ei fod wedi treulio'r rhan fwyaf o'i amser yn swyddfa Rawson yn trafod telerau sefydlu'r Wladychfa. Un fel 'na ydi Lewis, yn ymroi ei hun galon ac enaid i'w waith, ond ni allwn weld y lliw hwnnw yr oedd wedi ei ganmol gymaint, dim ond haen o wawr orwych yn ceisio cuddio anfadwch y dref.

Lle annuwiol ac anwaraidd yw Buenos Aires, a phob 'an-' arall y mae fy niflastod â'r lle wedi ei ddwyn o 'ngeirfa. Roedd hi'n ddydd Sul pan laniodd y *Córdata* ac roedd y masnachu yn ei anterth fel petai 'run diwrnod arall i'w gael yn yr wythnos. Wrth gwrs, ni wnaeth hyn unrhyw wahaniaeth i'r 'rhosyn' a aeth ati megis plentyn i ddawnsio ymysg y stondinau cyn mynnu bod Lewis yn prynu iddi ryw aderyn aflafar a sgrechiai mewn cawell. Ac mi gafodd yr ast ei ffordd ei hun.

> *Yn anffodus nid oedd y Bonwr Thomas Duguid*
> *yn y porthladd i'n cyfarfod fel a drefnwyd, ond*
> *nid rhyfedd oedd hynny gan ein bod wedi glanio*
> *ddeuddydd ynghynt nag yr amcangyfrifwyd gan*
> *Capten Batti.*

Dyna ddywedodd Lewis, beth bynnag, i dawelu ei wraig a oedd bellach yn bygwth llewygu yn sgil ei phryder. Mawr oedd fy mhleser wrth estyn copi o'r trefniadau a baratowyd gan y Pwyllgor a dangos ein bod wedi glanio ar amser ac y dylai Duguid eisoes fod yno i'n cyfarch. Bryd hynny y ceisiodd Lewis roi dwrn i mi – cyn i Ellen syrthio i'r llawr dan ochneidio. Byddai wedi bod yn fendith i waith Lewis a minnau pe baem wedi ei gadael yn y fan a'r lle.

> *Y prynhawn hwnnw bûm yn ddigon ffodus i*
> *gyfarfod y Bonwr Guillermo Rawson. Gŵr*
> *anrhydeddus iawn ydyw Rawson ac mae'n un a*
> *ddangosodd gryn gefnogaeth i'n hymgyrch.*

Hyd y gwn i. Ches i mo'r cyfle i'w gyfarfod. Wedi perfformans Ellen yn y porthladd fe fynnodd Lewis ei bod yn mynd i'r tŷ lojin i orffwys. Gan fod Duguid wedi'n gadael ym mudreddi'r ddinas nid oedd dewis gennym ond mynd i ofyn cymwynas gan Rawson. Gan fod Lewis a Rawson eisoes yn adnabod ei gilydd, y fi gafodd y dasg o ofalu am y 'rhosyn' yn ei thrallod tra ei fod yntau'n mynd i grafu am gymorth. Onid yw'n od fel mae Duw yn mynd ati i brofi amynedd dyn?

> *Cawsom ginio'n llawn danteithion tramor tra'n trafod â Rawson . . .*

Tynnodd Ellen ei staes yn ddi-lol o'm blaen . . .

> *. . . a rhaid i mi gyfaddef*

. . . agorodd fotymau ei gwisg gan adael

> *. . . i mi deimlo*

. . . i'w pheisiau ddisgyn i'r llawr

> *. . . yn hynod gartrefol yn y fath foethusrwydd yn trafod materion pwysig o'r fath.*

Gadawodd i mi syllu ar ei ffurf ryfeddol cyn cau drws ei hystafell yn glep yn fy wyneb.

> *Efallai, annwyl rieni, i'r newyddion am y rhyfel rhwng yr Ariannin a Paraguay eich cyrraedd. Na hidiwch . . .*

– a gwn yn iawn na wnewch chi . . .

44

> *. . . amdanom ni ein tri ym Muenos Aires canys yr*
> *ydym filltiroedd i ffwrdd o'r brwydro ac nid yw'r*
> *rhyfel ond cysgod dros dro ar y wlad lewyrchus*
> *hon.*

Pe bai hynny ond yn wir! Diolch i'r rhyfel hynod o anghyfleus does gan lywodraeth Ariannin mo'r arian na'r amynedd i roi cymorth i ni. Rhyngthon ni a'n potas oedd geiriau Rawson, yn y Sbaeneg wrth gwrs. Lewis a ailadroddodd y trafodaethau wrthyf yn hwyr y noson honno.

Minnau yn fy ngwely ers oriau yn pryderu lle'r oedd fy nghyd-wladwr. Fe sleifiodd yntau ymhen hir a hwyr i fy stafell fel plentyn yn edifarhau am ei gamwedd. Cerddodd â chamau bychain a'i ben yn syllu ar y llawr pren y camai mor bryderus ar ei hyd. Wrth iddo ollwng ei gorff yn flinedig ar waelod fy ngwely (wel, os gellir galw'r 'chydig flancedi'n wely; tydi 'moeth' a 'Buenos Aires' ddim yn eiriau y dylid eu hadrodd yn yr un anadl), gallwn ogleuo ei wynt meddw.

'Ti 'di meddwi,' meddwn innau'n ffugio awdurdod.

'Diawl o ots gen i,' poerodd yntau yn ei ôl. Dechreuodd y dagrau lifo. Mi wyddwn yn iawn fod ots ganddo.

'Mae'r cynllun 'di methu. Popeth ar ben. Dim gobaith i sefydlu'r Wladychfa fendigaid.'

Anodd oedd rheoli 'mreichiau i beidio ag estyn amdano a'i gysuro. Doeddwn i erioed wedi gweld Lewis yn y fath stad. Lewis – a arferai fod mor gryf, mor benderfynol, a'i weledigaeth am y Wladychfa cyn sicred â phader.

'Awn ni i chwilio am Duguid fory, 'li. Ella 'i fod o 'di anghofio.' Hen obaith gwirion. Doeddwn i ddim yn credu 'ngeiriau'n hun.

'Ma'r cena 'di diflannu. Rawson na Denby, ei bartner busnas, heb 'i weld ers cantoedd. 'Di dwyn rhyw bres neu'i gilydd. Diawl, allwn i ddim gwrando ar ragor.'

'Ffydd, Lewis,' meddwn innau, yn wag o eiriau defnyddiol.

'A gobaith a chariad. Cariad 'udodd Duw oedd y pwysica yndê?'

Roedd croen ei ruddiau'n rhyfeddol o feddal wrth i mi sychu'i ddagrau.

'Ia. A'r mwyaf o'r rhai hyn yw Cariad.'

Distawrwydd a'r awel lugoer yn ei orfodi i nesu ata' i i gynhesu. Sŵn crafu cocrotshen. Y foment rhyngom wedi'i difetha a'r cyfle'n cael ei golli am byth.

'Dwi 'sho'n rhosyn.'

Mi daflais gorff Lewis – a ymdebygai i sach datws – i stafell ei wraig a gadael iddi hi ymdopi â'i lafoerio meddw.

> *Mae'r cynlluniau i symud y llwyth cyntaf o anifeiliaid a lluniaeth ar gyfer glaniad y fintai gyntaf ym Mhatagonia yn edrych yn addawol tu hwnt.*

O ddiawl.

> *Ein gobaith yw llogi sgwner (eto i'w drefnu) a gadael am Batagonia ymhen yr wythnos. Mor gynhyrfus yr ydym ein tri o gael dechrau ar y gwaith ymarferol wedi misoedd o baratoi'r Cymry dewr yn ysbrydol i ymfudo.*

'O Edwin, O Edwin, amdanat mae sôn,
O waelod Sir Benfro i ben ucha' Sir Fôn;
Dy lais sydd fel trydan, a'th araith fel tân –
Mae trais ac mae gormes yn crynu o'th fla'n.'

Merched Aberystwyth a gyfansoddodd y geiriau, a phob un ohonynt mor wirion â'i gilydd yn esgus llesmeirio pan agorwn fy ngheg i ddechrau ar fy araith.

Fy annwyl deulu, pe bai gennych ond ychydig synnwyr i sylweddoli fy llwyddiant?

Byddwch sicr y gwnaf bob ymdrech i barhau mewn cysylltiad â chwi oll wedi i mi lanio ym Mhatagonia. Gwn . . .

– wel, mi obeithiaf yn fawr –

. . . fod gennych ddiddordeb yn natblygiadau'r Wladychfa a gwnaf bob ymdrech, er gwaethaf fy mhrysurdeb, i'ch cadw'n hysbys o'r holl fanylion yn y gobaith y byddwch cystal â lledaenu hanes y gwaith da y mae Lewis a minnau yn ei gyflawni yma.

Dwi'n siŵr na wnewch chi.

Yn ffyddlon oddi wrth eich mab,

Eich unig fab, os ca i fod mor hy â'ch atgoffa. Pam nad ysgrifennwch ataf?

Y Bonwr Edwin Cynrig Roberts.

47

Pennod 5

Y mae llawer wedi ei ysgrifenu yng nghylch y wlad hon a llawer o ymddadlau o'i phlegid ers rhyw bedair blynedd neu well bellach. Tra y cytuna'r holl ddearyddwyr – yn ddieithriad bron, i'w dangos allan fel y wlad mwyaf anwaraidd, anhygyrch ac anial is haul y nefoedd, eto ceir ryw minority fechan ym mysg mynyddoedd Cymru, ag sydd yn ymdrechu nerth braich ac ysgwydd, ei harddangos i'r byd fel rhyw Elysium ardderchog neu ardd baradwys . . . Os bydd hyn o ysgrif yn foddion i achub un o'm cyd-wladwyr rhag dannedd Patagonwyr, byddaf ddiolchar.

'Gwenan', *Y Cymro*, Gorffennaf 1865

. . . dwysáu wnaeth y dadlau ffyrnig a hirwyntog yng ngholofnau'r wasg parthed rhinweddau a gwendidau honedig y fenter . . . O ganlyniad, wynebai'r gymdeithas argyfwng gwirioneddol. Dim ond tua hanner nifer gwreiddiol yr ymfudwyr oedd yn dal i fod ar y rhestr, a'r rheiny, bron yn ddi-ffael, yn dlodion . . . Ychydig iawn o ddodrefn oedd ganddynt, a'r nesaf peth i ddim o offer. A phocedi gwag.

Yr Hirdaith, Elvey MacDonald

Deffro. Mor ddieithr oedd y gair bellach i glustiau Jane Morgan. Deffro; croesawu'r bore ac anadlu'r diwrnod newydd; codi o'r gwely a'r meddwl yn fyw a phrysur; teimlo ac ymateb yn fyw i'r byd a'i bethau. Na, nid oedd

Jane wedi bod yn effro ers sawl diwrnod bellach, a daeth y gwely heigiedig o chwain yn Smiths yn ddihangfa iddi yn ei chyflwr o arwahanrwydd.

Dim. Ni allai Jane deimlo dim. Roedd ei thu mewn yn ddŵr a'i phen yn un gwagle o niwl. Ac nid oedd ganddi affliw o ots. Ni faliai am y tair iâr yn eu cawell gerllaw, y llwyddodd ei thad i'w hachub rhag cyllell Herman Smith. Ni faliai am y staeniau chwyslyd a addurnai'r gynfas y cuddiai odani. Ni faliai am y clymau a feddiannai ei gwallt, na'r crachod cwsg a lynai wrth ei llygaid a'i cheg. Doedd dim i falio amdano bellach, ac erbyn hyn roedd yr awydd i gau ei llygaid a diffodd yr hyn a'i cadwai'n fyw yn drech na Jane.

Bu'r Parch. Arnallt Morgan yn hynod amyneddgar gyda'i ferch. Ceisiodd ei hannog i fwyta gan slyrpian ei brydau yn swnllyd o eiddgar o'i blaen i'w themtio. Agorodd ffenestr y stafell led y pen a gadael i arogleuon danteithion y strydoedd ei meddiannu. Sgwrsiodd yn frwdfrydig am gynlluniau'r Pwyllgor Gwladfaol ynglŷn â manylion y fordaith i Batagonia, am ei sgyrsiau â Michael D. Jones, ei gyfaill mynwesol (yn ei farn ef, beth bynnag) a'r Cymry diddorol oedd yn rhan o'r fintai a arhosai yn yr amryw dai lojin yn y dref. Ychydig a wyddai'r Parch. fod ei ymdrechion yn ofer a bod ei ddyfalbarhad i godi calon ei ferch yn ei gyrru ymhellach i'w chyflwr tywyll.

Daeth yr awel â sŵn gwylan yn sgrechian yn wylofus i'r ystafell. Adwaenai Jane y gri. O'i hystafell wely yn y Tŷ Capel arferai glywed yr un sain yn union wedi i Gruffydd Davies Glan-rhyd fod yn aredig. Gwylanod Porthdinllaen a thraeth Nefyn yn plymio'n saethau gwynion i'r pridd, yn canu a chlegar dros dameidiau o bryfaid genwair a godwyd i olau dydd gan yr aradr.

Ar ddiwrnod aredig Glan-rhyd y diflannodd ei mam. Diflannodd i fyny allt Peniel a sŵn straen llusgo'r aradr drwy'r pridd yn boddi'i chamau petrus. Diflannodd heibio i adwy'r Plas, a gwylltineb Elis o golli ail lo y tymor yn ei ddallu rhag olrhain ei chysgod yn y pellter. Diflannodd tua chreigiau'r Garn a chamau brysiog ceffylau'r goets fawr yn dwyn igian ei dagrau o'r gwynt. Diflannodd. A phlethwyd cri Jane â chân y gwylanod gan ei gwneud yn dasg amhosib penderfynu pa sgrech a berthynai i bwy.

Mentrodd Jane godi o'r gwely chwyslyd a rhoi clep go hegr i'r ffenest. Deffrodd y tair iâr mewn fflwstwr o blu a rhoddodd Jane gic i'r cawell yn gosb am eu sŵn. Ar hynny fe ffrwydrodd y Parch. i'r ystafell a gwên hanner lleuad yn meddiannu ei wyneb.

'Amser ailbacio, Jane fach. Mae'r *Mimosa*'n barod am ei mordaith!'

*   *   *

Eisteddai'r Parch. Michael D. Jones yng nghysgodion y swyddfa a chwmwl du ei bryder yn amlwg i aelodau'r Pwyllgor o'i amgylch.

'Wrth gwrs, fe ad-delir yr arian i chi o fewn y flwyddyn,' mentrodd Hugh Hughes.

'Wrth gwrs,' sibrydodd y Parch.

'Tair mil. Gwerth pob ceiniog. Mae'r *Mimosa*'n gamp o gliper.'

Cododd y Parch. yn araf a cherdded tua'r ffenest.

Anodd oedd ganddo gredu bod y *clipper* hynafol a ochneidiai fel dyn oedrannus yn y gwynt o'i flaen yn nŵr y porthladd yn llong o safon.

'A sut y gwyddoch chi hynny, Mr Hughes?'

'Saer ydw i o ran fy nghrefft, syr, ac mi wn i ddigon am bren i wybod ein bod wedi cael bargen. Tair mil am long sydd wedi brwydro am ddeng mlynedd yn erbyn rhyferthwy moroedd y dwyrain. Mae'n gadarn, mae'n ddibynadwy. Yn wir, syr, chewch chi ddim llong well.'

Rhoddodd y *Mimosa* ochenaid arall.

'Bargen yn wir,' ategodd y Parch. dan watwar.

'Tair mil. Swm go fychan i sicrhau llwyddiant y Cymry ym Mhatagonia ddywedwn i,' ychwanegodd Love Jones-Parry'n ddifater.

'Efallai nad ydi o'n fawr o swm o ystyried eich cyfoeth chi, Jones-Parry, ond mae pob ceiniog sydd genna i wedi'i fuddsoddi yn y fenter 'ma,' poerodd Jane Jones.

Cododd Hugh Hughes ei aeliau mewn syndod. Ni wyddai mai arian gwraig yr anrhydeddus Barchedig Michael D. Jones a ddefnyddiwyd i logi'r *Mimosa*. Sylwodd Jane Jones ar ei sioc.

'Michael 'di anghofio sôn, mae'n siŵr, mai fy arian i mae o 'di wario. Mae pob ceiniog o'r hyn dwi 'di etifeddu gan fy nheulu wedi mynd i dalu am y plancia pren 'na ma' Mr Hughes yn ei alw'n gliper. Fysa'n dda i chi ystyried fy aberth ariannol i, Jones-Parry, cyn i chi fynd ati i fychanu'r hyn sydd wedi'i fuddsoddi yn y fenter.'

Roedd yn gas gan y Parch. y modd yr aethai ei wraig ati'n ymwybodol i'w gywilyddio o flaen y gwŷr hyn. Gwyddai mai'r unig fwynhad a gâi ei wraig o fywyd bellach oedd ei ddirmygu'n gyhoeddus. Difarai ei enaid am beidio â phriodi Mari Gruffydd o Lanuwchllyn. Ei Fari fwyn a oedd bellach yn fam gampus i bump o feibion tra ei fod yntau'n rhwym i'w Jane hesb.

'Unrhyw air gen Edwin a Lewis?' mentrodd y Parch. er mwyn newid cyfeiriad y sgwrs.

'Llythyr ddoe gen Edwin.'

Estynnodd Hugh Hughes dudalennau niferus o ddrôr ei ddesg. Cliriodd ei wddf gydag un pesychiad uchel a dechrau ar y darllen.

'Casa Maria de Huéspedes, Buenos Aires, Yr Ariannin, 4ydd o Fai, 1865. Annwyl gyd-wladwyr, hyderaf eich bod oll mewn iechyd rhagorol a bod y llythyr hwn yn eich cyrraedd . . .'

'Ydi o'n sôn am gynlluniau Lewis ac yntau i fynd i Batagonia?'

Gwyddai'r Parch. yn iawn am duedd Edwin i ddefnyddio geiriau addurniedig i geisio egluro'r pethau symlaf ac nid oedd ganddo'r amynedd na'r amser i wrando ar ei weniaith. Darllenodd Hugh Hughes yn sydyn drwy'r llythyr.

'Tywydd delfrydol . . . pobl groesawus . . . mae 'na araith fach yn fan hyn yn amlinellu pwysigrwydd sefydlu'r Wladychfa.'

Un arall? Onid oedd Edwin wedi sgrifennu degau'n barod?

'Lewis a'i wraig yn iach . . . a dyna ni.'

'Dyna ni? Dim sôn am eu cynlluniau i baratoi tir Patagonia ar gyfer y fintai 'ma?' cyfarthodd y Parch.

'Dim,' sibrydodd Hugh Hughes, 'a does dim sôn eu bod wedi cyfarfod Thomas Duguid ychwaith. Does dim sôn am ddim o werth.'

'Wn i ddim pam ddiawl ddaru chi 'i ddewis o i fynd gyda Lewis o bawb, yn enwedig a finnau eisoes yn gyfarwydd â Buenos Aires ar ôl bod yno i drafod telerau â Rawson,' chwarddodd Love Jones-Parry.

'Y ffaith eich bod mor "gyfarwydd" â Buenos Aires oedd y broblem, Jones-Parry. Yn rhy gyfarwydd â'i phuteindai a'i thafarndai a'i sefydliadau gamblo,' atebodd y Parch. yn sych.

'Pawb at y peth y bo,' gwenodd Love Jones-Parry cyn cerdded allan o'r swyddfa i gael gwell golwg ar y *Mimosa.*

Mentrodd Jones-Parry ddringo ar fwrdd y cliper, a gwyddai o weld y Capten yn martsio'n awdurdodol tuag ato mai camgymeriad oedd hynny.

'Sorry to intrude, Captain. I'm just inspecting the vessel before she sails.'

Sylwodd Jones-Parry ar grac go egr ym monyn y prif fast.

'Quite an impressive ship, isn't she?' mentrodd gyda hanner gwên.

'She's a clipper, not a ship.'

Roedd yn gas gan Capten Pepperell bobl anwybodus na ddeallai'r gwahaniaeth.

'Are you one of the Welsh folk who's emigrating?'

'Jesus, no!'

Synnai Love Jones-Parry o weld na rannai'r Capten ei jôc.

'I'm a member of the committee who has arranged this . . .'

Doedd fiw iddo ddweud y fenter wallgof.

'. . . this . . . venture.'

*'Ah. We'll be setting sail sometime before dawn; we'll
aim for four o'clock, if you wish to inform the rest of the
committee to gather the emigrants. Tide waits for no
man.'*

Ni allai Love Jones-Parry beidio â chwerthin am ben y
gŵr rhyfeddol hwn a gymerai ei ddyletswyddau mor
boenus at ei galon. Capten llong oedd y creadur wedi'r
cyfan, a hynny ar long oedd wedi'i rhidyllu'n llwyr. Pe
gwyddai am y teuluoedd anwar newynog a oedd am
halogi'i gliper annwyl byddai wedi ffoi o'r porthladd
mewn chwinciad. Wrth ystyried hyn oll, ni allai Love
Jones-Parry ond cydymdeimlo â'r Capten. Synnodd ato'i
hun am ddangos y fath dosturi at ddyn a oedd gymaint is
nag o mewn statws. Roedd treulio amser gyda'r Parch.
Michael D. Jones yn cael effaith arno. Penderfynodd mai
gwell fyddai mynd i ddathlu ei weddnewidiad. A hynny
yng nghwmni merch go boeth a jygiad o gwrw.

*   *   *

Teimlai oerni'r bore bach yn ddieithr i gorff Jane wrth
iddi fentro ei ffordd i'r stryd gyda'i hieir yn eu cawell yn
dynn yn ei chôl. Rhedai plant bach budron yn wyllt o'i
chwmpas ac roedd sŵn eu traed noethion wrth bledu'r
pafin yn taro'n boenus yn ei phen. Ar yr ochr dde iddi
cyfarthai dau ŵr ar ei gilydd, a'r cert oedd wedi troi a
sbydu ei gynnwys o datws hyd y lôn yn amlwg oedd yr
achos am eu dadlau. Ar yr ochr chwith iddi safai hen
wreigan yn begera a chathod main yn blith draphlith hyd
ei hysgwyddau. Tybiai Jane mai oddi ar gorff hynafol y
wreigan y dôi'r oglau chwyslyd a halogai'r aer o'i

chwmpas a chymerodd gam ymhellach i'r stryd i geisio ei osgoi. Ar hynny saethodd ceffyl a chert yn wyllt amdani a rhoddodd Jane naid ansicr yn ei hôl gan blannu'i throed dde mewn mynydd ffres o dail ceffyl. Rhoddodd ei stumog dro sydyn wrth iddi deimlo gwres y baw rhwng ei bodiau. Byddai wedi dianc yn ei hôl i'r gwely tamp yn y tŷ lojin oni bai i'r Parch. Arnallt Morgan gamu o'r adeilad y foment honno gan estyn ei fraich a gwenu i'w thywys i'r porthladd.

Heb yn wybod i Jane fe bryderai'r Parch. yn ddirfawr am bwysau ei gwdyn arian. Tra ei fod yntau wedi bod yn pesgi'n fodlon ar gig Mrs Smith roedd ei gwdyn wedi cael ei odro a theimlai'r bag bach lledr yn bryderus o ysgafn ym mhoced ei wasgod. Ni allai gredu'r pris a gododd Mrs Smith am eu hwythnos yn lletya yn ei lojin. Pe bai o gymeriad dewr byddai wedi ceisio bargeinio'r pris, ond daeth Mr Smith i'r ystafell yn cario celain rhyw anifail ar ei ysgwydd a chyllell fwtsiera waedlyd yn ei law a, rhywfodd, ni theimlai'r Parch. yr un awydd i ddadlau am y pris.

Cochodd Jane o weld yr orymdaith o weision y tŷ lojin yn cario'u heiddo ar eu cefnau wrth gerdded am y porthladd. Gwyddai fod ei thad yn mwynhau pob eiliad o'r sylw a gâi gan bobl y stryd, a oedd yn gwneud lle iddynt ar y ffordd. Cododd y Parch. ei ben yn uchel a chwifio'i law yn sidêt ar y bobl a syllai arno. Diflannodd Jane i blygiadau ei siôl gan glymu'i bonet yn dynnach o dan ei gwddf. Ni wyddai pam yr ymdrechai ei thad mor galed i wneud ffŵl ohoni.

Wrth agosáu tua'r porthladd gallai Jane glywed crynswth y synau arallfydol yn araf gynyddu yn ei chlustiau. Sgrechiadau, gwaeddiadau, gwichiadau'r mastiau a hyrddiadau'r gwynt yn yr hwyliau – heb anghofio clebar y gwylanod uwchlaw a godai groen gŵydd hyd ei chorff. Ni allai ddal i fyny â chamau breision ei thad a gyflymai wrth agosáu tua dociau Waterloo a theimlai ei hun yn cael ei llusgo ganddo ar hyd y ffordd garegog.

'Barchedig! Barchedig!'

Gwaeddai ei thad yn eiddgar gan chwifio'i het i ddenu sylw'r gŵr bonheddig yn y pellter. Sylwodd Jane ar y gŵr dieithr yn troi ei gefn yn ymwybodol ar waeddiadau'i thad. Cyflymodd ei thad unwaith yn rhagor gan beri i weision Smiths bron â'i golli wrth geisio cadw i fyny ag o.

'Barchedig! Wel, dyma ni!' gwenodd y Parch. Arnallt Morgan.

'Welais i mohonoch chi'n cyrraedd! Pnawn da.' Synnai'r Parch. Michael D. Jones at ei allu cynyddol i ddweud celwydd gydag argyhoeddiad.

'Ydi pawb yma? Fyddai hi'n iawn i'r ferch a finnau fentro ar y llong? Oes angen cymorth arnoch chi? Allwn i eich helpu chi mewn unrhyw fodd?'

Doedd dim diwedd ar barablu ei thad, ac anodd oedd gan Jane guddio'i chwerthin o weld y Parch. Michael D. Jones yn ymgreinio wrth glywed Arnallt Morgan yn ei eilunaddoli.

'Furniture below deck and be sure to fasten all items.'

Taflodd y mêt raff yn sydyn tuag at Jane a'i thad a gyrrodd y Parch. Michael D. Jones un o griw Capten Pepperell i arwain gweision Smiths ar fwrdd y llong a'u tywys i'r howld i storio dodrefn y Parch. Arnallt Morgan.

'Gwell i chi fynd i gadw llygad arnyn nhw, Mr

Morgan. Mae 'na amryw ddarnau o ddodrefn Cymreig yn magu traed i gartrefi'r Saeson cythreulig 'ma. "Na ladrata" y Deg Gorchymyn yn golygu dim iddyn nhw,' pregethodd y Parch. Michael D. Jones.

Neidiodd y Parch. Arnallt Morgan ar y cyfle i gael bod o wasanaeth i'r Parchedig Jones. Mor ffodus ydoedd ei fod yn gyfaill i ŵr mor ddysgedig a galluog!

'Miss Morgan, a gaf eich tywys ar fwrdd y *Mimosa*?' Amneidiodd y Parch. Michael D. Jones ar i weddill gweision Smiths ei ddilyn. 'Mi rown ni drefn ar y cistiau 'ma gyda'n gilydd.'

Wrth ddringo'r rhampiau pren a arweiniai at y cliper, ni allai Jane gredu'r olygfa echrydus o'i blaen. Edrychai'r bwrdd fel twmpath morgrug gyda chriw y llong yn gweu'n frysiog drwy ei gilydd wrth godi hwyliau a chyweirio rigin. Yn ynysoedd o bobol blith draphlith yng nghanol yr anhrefn roedd yr hyn y tybiai Jane eu bod yn gyd-wladwyr iddi. Synnai at y carpiau a ystyrid gan y bobl hyn yn wisg, at yr ychydig fagiau carped o'u heiddo ac at yr olwg newynog a lanwai eu llygaid. Teimlai ei hun yn gwrido o embaras wrth gymharu eiddo'r trueiniaid hyn â chistiau dirifedi ei thad. Byddai'n dda ganddi pe bai'r Parch. Michael D. Jones yn gwneud llai o ffỳs ohoni ac yn gadael iddi ddiflannu i ganol y tlodion o'i blaen.

'A! Miss Morgan rwy'n tybio? Eich tad eisoes wedi'ch cofrestru.'

Syllai Jane yn fud ar y gŵr barfog â rhestr drefnus o enwau yn ei law yn sefyll o'i blaen.

'Mr Hugh Hughes,' cyflwynodd y dyn ei hun iddi. 'Efallai eich bod yn gyfarwydd â'm henw barddol, Cadfan Gwynedd?'

Ysgydwodd Jane ei phen yn araf. Doedd ganddi'r un clem pwy oedd y bobl hyn a fynnai ei chroesawu.

'Hidiwch befo. Reit, mae'ch dodrefn chi eisoes wedi'u storio. Oes gennych chi unrhyw *livestock*? Oes siŵr, yr ieir . . . hyfryd 'ma. Mae 'na le pwrpasol iddyn nhw ar y dec 'ma fan acw, 'lwch. Dewch â nhw i mi.'

Yng nghysgodion yr hwyliau pellaf gwelai Jane ddau fochyn wedi'u clymu'n flêr wrth rywbeth a ymdebygai i gorlan gyntefig.

'Na,' mentrodd Jane.

'Yn fan 'cw mae'u lle nhw, miss,' ymatebodd y Parch. Michael D. Jones wrth geisio ymyrryd.

'Hefo fi mae'u lle nhw, syr.' Gwyddai Jane fod brathiad coeglyd yn ei hateb, ond doedd dim ots ganddi a diolchodd pan ollyngodd y Parch. ei braich gan ei esgusodi ei hun oddi ar fwrdd y llong ar ryw genadwri gelwyddog.

'Oes ganddoch chi unrhyw fwyd 'fo chi?' Ceisiodd Hugh Hughes ailsefydlu'i awdurdod.

'Y cistiau acw. Ceirch, penwaig wedi'u piclo a 'chydig o gig 'di'i halltu.'

'*Take those chests to the galley, please gentlemen!*'

Ar hynny fe ymddangosodd y Parch. Arnallt Morgan a golwg hynod fodlon arno. Onid oedd cynnwrf y fenter yn ffrydio drwy'i wythiennau? (Ac onid oedd golwythion Mrs Smith wedi gwneud gwyrthiau lle roedd problemau ei goluddion a'i glwy marchogion yn y cwestiwn?)

'Dewch â'r cistiau yna i mi, Mr Hughes. Dwi'n cymryd bod gwŷr a gwragedd yn preswylio ar wahân ar y llong 'ma?'

'Teuluoedd ifanc a'r merched *lower deck* i lawr y brif

hatch a'r dynion dibriod a'r bechgyn ifanc yn chwarteri cysgu'r criw ym mhen blaen y llong.'

'Alla i'm caniatáu hynny, Mr Hughes. Tydw i ddim am i Jane gysgu yng nghwmni dynion, priod neu beidio.'

'Tada!' sibrydodd Jane dan wrido.

'Ond allwn ni ddim gwahanu teuluoedd, Barchedig. Mae'n naturiol i'r gwŷr a'r gwragedd ifanc fod eisiau preswylio hefo'i gilydd a hefo'u plant,' mentrodd Hugh Hughes.

'Er mwyn sicrhau . . . lledneisrwydd ein cyd-wladwyr rwy'n mynnu bod y gwŷr a'r merched yn cysgu ar wahân, Mr Hughes. Nid mintai o bobl anwar a di-foes mohonom, wedi'r cyfan. *Don't you agree, Doctor Green, that it would be far healthier for the men and women to be segregated? Captain, what are your views?'* gwaeddodd y Parch. i gyfeiriad y ddau ŵr a drafodai bwnc amgenach y tu ôl iddynt.

Sibrydodd y Doctor, Gwyddel ifanc heb unrhyw ddiddordeb yn iechyd y Cymry, ei gynllun yng nghlust y Capten. Fe wyddai Doctor Green fod gwahanu gwŷr a gwragedd yn arfer gyffredin mewn wyrcws a hynny er mwyn ceisio lleihau nifer y tlodion a genhedlid bob blwyddyn. Penderfynodd mai gwell fyddai mabwysiadu'r un system ar y llong mewn ymdrech i gadw niferoedd y fintai i lawr, ac fe gymeradwyodd y Capten ei benderfyniad.

'All men and women to sleep in separate quarters, whether they be married or not. Those are my orders!' rhuodd y Capten.

'Dos â dy bethau *lower deck*, Jane fach. Da'r hogan.'

Gyda Jane a'i thad wedi mynd i chwilio am eu gwlâu, fe'i cafodd Hugh Hughes ei hun yn atebol am dalu'r

59

llanciau esgyrnog o Smiths a fu'n llusgo eiddo'r Parch.
i'r llong. Rhoddodd Jane wên fach fuddugoliaethus wrth
ei wylio yn y pellter yn cyfri'n boenus o araf ei geiniogau
prin i ddwylo budron y bechgyn.

*   *   *

Wrth ollwng ei chist â chlep i lawr y brif *hatch* fe'i
croesawyd â sgrechiadau aflafar.

'Be ti'n neud, yr ast? Ti 'sio'n boddi ni?'

Merch gron, a chanddi freichiau fel boncyffion, oedd
piau'r llais. Wrth ddringo i lawr y grisiau i'r ystafell
dywyll cawsai Jane ei hatgoffa o Ruth gan y wraig fawr
hon. Yn enwedig gan ei haraith.

'Pwy ti?' cyfarthodd y wraig.

'Jane. Jane Elizabeth Morgan.'

Ni wyddai Jane pam yn union y cyfansoddodd enw
canol iddi ei hun, ond doedd hi ddim am i'r wraig o'i
blaen ei thrin fel baw isa'r domen. Roedd hi'n ferch i
weinidog, wedi'r cyfan.

'Wel, Jane Elizabeth Morgan, ma'r bync isa'n y canol
'na'n rhydd. 'Ma chdi fwcad piso a bwcad dŵr yfad. Paid
ti â meiddio drysu rhwng y ddau neu mi fydd 'na le 'ma
. . . Be ddiawl 'di'r adar 'na sgen ti?'

'Ieir 'dyn nhw,' sibrydodd Jane.

'Taw â deud? Ar y dec ma' nhw i fod.'

''Swn i'n licio iddyn nhw gael aros 'ma 'fo fi.'

''Swn i'n licio i'r dyn 'cw gael aros 'ma 'fo finna 'fyd,
a 'sgin hwnnw 'im hannar gymaint o chwain â'r hen ieir
'ma.'

Chwarddodd y merched yn uchel o'i chwmpas.

Cipiodd y wraig y cawell o freichiau Jane a'i daflu drwy'r *hatch*.

'Ro'n i'n meddwl taw dolis o'dd merched dy oedran di'n mynd i'r gwely 'da nhw,' mentrodd rhyw lais deheuol o'r tywyllwch.

'Dwi lot rhy hen i betha felly,' atebodd Jane yn sydyn.

'Ti'm digon hen i fynd â dyn i dy wely chwaith! Faint 'di dy oed di?' holodd y wraig.

Ni chafodd Jane gyfle i'w hateb gan i waedd Capten Pepperell dorri ar draws y cellwair.

'Everyone on deck!'

*   *   *

Ni sylwodd y Parch. Arnallt Morgan ar wyneb pryderus ei ferch yng nghanol y fintai a safai o'i flaen wrth i'r Capten adrodd y fendith. Ni sylwodd ar wisgoedd llwm y teithwyr nac ar yr esgyrn a wthiai'n onglog drwy'u crwyn. Ni sylwodd ar eu dwylo garw nac ar eu traed noeth. Wrth i'r Parch. arwain y weddi ni allai ond edrych ag edmygedd ar faner y Ddraig Goch yn chwifio'n heriol yn y gwynt yn arwydd o obaith i'r Cymry. Bryd hynny y dechreuodd y gweiddi a'r rhegi o du trigolion y porthladd.

'Take the flag down!' gorchmynnodd y Capten.

'But it's our flag,' mentrodd Hugh Hughes a safai yn ymyl y Parch.

'It's bad luck for an emigrant ship to leave port without it being to the sounds of cheers. Raise the Union Jack!'

Disgynnodd y Ddraig Goch yn ddiseremoni i gorlan y

moch ac aeth y Parch. ati'n frysiog i'w nôl tra canai'r teithwyr *'God Save the Queen'* yn ansicr dan arweiniad y Capten. Ond doedd fawr neb ar y cei i sylwi a chodwyd yr angor anferth i sŵn sgrech y cadwyni haearn. Crynodd y *Mimosa* drwyddi'n sydyn gan beri i'r plant bychain grio a glynu wrth eu mamau. Yn y pellter fe welai'r Parch. ei ferch yn dianc o'r gwasanaeth ac yn diflannu i lawr grisiau'r *hatch* gan anwybyddu ymdrechion Hugh Hughes i'w denu'n ôl ar y dec. Cymaint oedd y straen ar feddwl a chorff y Parch. fel y bu raid iddo ildio cynnwys ei stumog a gadael iddo lifo'n ffrwd i lawr ei ên ac i'r môr islaw. Nid dyma'r dechrau delfrydol i'r antur y bu'r Parch. yn breuddwydio amdani gyhyd.

Pennod 6

I *sefydlu* Gwladychfa y mae'n ofynol cael gwroldeb, pwyll ac amynedd, medr amaethyddol a chrefftyddol, ac anianawd weithgar a chynil. I *lywodraethu* Gwladychfa, y mae'n rhaid cael pobl dawel, ffurflywodraeth iachus, a llywodraeth ddoeth a chrefyddol.

Llawlyfr y Wladychfa Gymreig,
Hugh Hughes, 1862

Casa Hernandez,
Patagones,
Ariannin,
9fed o Fehefin, 1865.

Fy annwyl deulu,
Erfyniaf arnoch oll i faddau i mi am beidio â sgrifennu atoch cyn hyn. Mae mis wedi hedfan megis yr adar hynod sydd yn y wlad hon ers i mi gael y cyfle i grafu gair wrthych â'm hysgrifbin.

Wn i ddim ydach chi 'di sylwi ai peidio, cofiwch.

O ganlyniad mae gennyf lond sach o straeon hynod i'ch diddanu ynglŷn ag anturiaethau diweddaraf Lewis . . .

a'i 'rosyn'

... a minnau.

*Fel y gwelwch o'r cyfeiriad uchod rydym
bellach ym Mhatagones yn dod i ben â'r gwaith o
baratoi mudo'r anifeiliaid a chyflenwad digonol
o fwyd ac offer amaethu i Batagonia. Mae'r
antur ar ddechrau a prin y medraf reoli'r
cynnwrf...*

a'r ofn angerddol

*... sy'n ffrydio drwof.
Mor freintiedig yr ydym o gael cymorth y gŵr
bonheddig...*

o'r enw ac o gymeriad hynod amwys

*... Denby. Partner busnes yr anrhydeddus Thomas
Duguid ydyw'r Bonwr Denby. Oherwydd
profedigaeth yn y teulu nid oes gan Duguid y modd
i'n cynorthwyo ac y mae Denby yn fwy na pharod i
fuddsoddi yn ein hymgyrch i sefydlu'r Wladychfa a
hynny'n bennaf oherwydd didwylledd ein cais.*

Profedigaeth a hanner a gafodd Duguid druan! Ei wraig yn
darganfod mai gwario arian prin y busnes ar ryw hwren a
barodd i'r hwch fynd drwy'r siop. Hithau'n bygwth ei ladd
(ac o ystyried ei siâp anferthol nid oedd lle gan Duguid i
amau nad oedd hi'n hen ddigon abl i wneud hynny) pe na
byddai'n diflannu o'r dref ar ôl iddi ddarganfod iddo ddal
haint go boenus oddi wrth y ferch ddrudfawr. Doedd gan
Denby mo'r dewis ond cynnig ei wasanaethau i ni wedi i
Lewis fygwth rhannu anturiaethau Duguid â Rawson,
noddwr y cwmni, a dwyn gwarth ar ei enw. Athrylith (ac
ychydig yn bechadurus o fentrus) o gynllun yn wir!

I brofi ein gwerthfawrogiad y mae Lewis a
minnau wedi cytuno rhoi llain o dir o'r
Wladychfa yn rhodd i'r cwmni.

Denby'r diawl a fynnodd ein bod ni'n rhoi tir iddo a
dydi'r cythraul heb ddweud yn union faint o'r tir y mae
am ei ddwyn oddi arnom. Bydd y Pwyllgor Gwladychfaol
yn blingo Lewis a minnau pan ddônt i wybod am y fath
gytundeb. Mae Lewis yn trio'i orau i 'nghysuro, yn fy
sicrhau y bydd aelodau'r Pwyllgor yn siŵr o ddeall nad
oes gennym ddewis yn y mater. Mae o'n un da am
ddarganfod geiriau sy'n lleddfu, a chreu brawddegau
llawn cysur â'i lais sydd fel mêl.

Dan ofal Denby fe adawodd Lewis, Ellen a
minnau Buenos Aires ar y sgwner Juno. *Llong*
weithio ydyw, yn ôl Lewis, wedi hen arfer â
chludo nwyddau dros filltiroedd tymhestlog o fôr.
O ganlyniad mi brofodd y daith yn eithaf ...

uffernol o

... anghyffyrddus, ond glaniasom yn ddiogel yn
nhref fechan Patagones ar 24ain o Fai. Llogwyd
llong ychwanegol o'r enw'r Mary Ellen ...

ac Ellen yn gwirioni ar y syniad rhamantus bod y sgwner
dolciog wedi'i henwi ar ei hôl;

... i gario coed, i gasglu guano *i'w allforio, ac i*
symud ymfudwyr y fintai gyntaf i lannau'r
Wladychfa. Bu'r croeso a dderbyniodd ein tri
gan gyfeillion a chyd-weithwyr Denby yn un
hynod wresog. Archentinwr tawedog o'r enw

65

Murga ydoedd y cyntaf ar fwrdd y llong a'n
cyfarchodd yn ei ffordd arbennig ei hun.

Syllai Ellen yn eiddgar ar yr estronwr. Ar nodweddion cadarn ei wyneb a'i ysgwyddau cryfion. Ar ei goesau hirion a'i groen tywyll a edrychai fel triog yn toddi'n felys hyd ei gorff. Sawl tro y mae Ellen wedi canmol fy wyneb innau, sydd bellach wedi'i gysgodi'n frown dan haul hydrefol Buenos Aires. Efallai na sylwodd Lewis ar ei 'rosyn' yn llygadu Murga, ond mi sylwais i. Ac mi sylwodd Murga hefyd wrth iddo estyn ei fraich i'w thywys i'r cwch rhwyfo bychan a aeth â hi i'r lan.

Wedi i ni gyrraedd y lan fe'n croesawyd gan y
brodyr Harris a edrychai'n hynod smart mewn
siwtiau o ddefnydd ysgafn gwyn. Diolchodd
Lewis a minnau'n eiddgar am eu cymorth ac er
mawr syndod i ni'n dau cawsom ein gwahodd
ganddynt i swpera gyda hwy yn un o fwytai
mwyaf cyffyrddus ac anrhydeddus y dref.

Tafarn oedd y bwyty 'anrhydeddus', annwyl rieni. Allech chi gredu hynny? Eich mab sychdduwiol yn gwledda â gwên mewn tafarn? Yn cydslochian gwirod dieithr a chydbwffian sigarennau hirion a chanddynt flas chwerw ar dafod? Eich mab ffyddlon yn ei ffansïo'i hun yn dipyn o dderyn wrth anwesu'r merched a ddawnsiai'n fôr o beisiau les o'i gwmpas. Allech chi gredu hynny, fy rhieni mwyn? Na. Prin y medraf innau gredu'r fath sioe a ddigwyddodd y noson honno, ond ildiais i'r holl demtasiynau hyn fel plentyn i degan newydd. Prin y medrai Lewis gredu'i lygaid wrth i mi gymryd un o'r merched i 'mreichiau i sŵn cymeradwyaeth y brodyr Harris, a'i chusanu â blas. Gollyngais y greadures i'r llawr pan welais Lewis yn diflannu drwy ddrysau'r dafarn a chochni ei glustiau'n arwydd pendant o'i gynddaredd.

> Y bore canlynol dechreuwyd ar y gwaith o gynnull yr holl nwyddau yr oedd eu hangen ar gyfer teuluoedd y fintai gyntaf i allu amaethu tir ffrwythlon y Wladychfa. Fel y gwyddoch, y mae amaethu yn fy ngwaed a rhoddodd Lewis y cyfrifoldeb o ddewis offer addas i mi. Gwyddwn iddo deimlo'n analluog wrth iddo fy ngwylio'n bargeinio am ragor o gelfi aredig – ac yntau'n fachgen o'r dref nad oedd wedi cyffwrdd â'r un aradr yn ei fywyd cyn y bore hwnnw!

Syllai Lewis arnaf â'i lygaid duon. Ni siaradodd air â mi drwy'r dydd, dim ond gadael i mi sgwrsio'n llawn hwyl â'r brodyr Harris ynglŷn ag anturiaethau'r noson flaenorol. Ni chododd law i'm cynorthwyo wrth imi fyseddu ac asesu'r offer a gynigiwyd i ni gan y brodyr Harris. Ni sylwodd ar y rhwd ar y llafnau nac ychwaith ar y cymalau wedi cancro. Ac am ryw reswm doeddwn innau ddim am rannu 'mhryder ynglŷn ag ansawdd yr offer gydag ef. Gadewais iddo syllu arnaf, yn mwynhau ei sylw, y sylw a roddai cyn hynny i'w 'rosyn' halogedig.

Y noson honno mi es yn gwmni i'r brodyr Harris yn ôl i'r tŷ tafarn – yr unig dŷ tafarn, wedi meddwl, sy yn y dref lychlyd hon. Mentrodd Lewis yno'r eildro'n ogystal, y tro hwn gydag Ellen yn dynn wrth ei fraich. Wrth i'r brodyr Harris fwydro Ellen â chanmol diangen am ei gwisg (ddigon plaen) mi es innau a Lewis o'r neilltu a holais ef ai addas oedd dod â'i wraig i'r fath le, ond doedd dim gwrando arno. Aeth ar ei union i'w mwytho'n ormodol o'n blaenau a hithau'n canu grwndi'n ei glust drwy'r nos.

> *Bu'r wythnosau dilynol yn un cynnwrf o baratoadau tebyg gyda Murga yn rhannu ei brofiadau helaeth â ni wrth ein cynghori ar sut i ofalu ar ôl yr anifeiliaid niferus ar dir nad oes eto iddo gloddiau na ffiniau na nentydd cyfleus i'w ddyfrhau. Mi fydd y dasg o ofalu am yr anifeiliaid hyn yn dipyn o sialens i amaethwr o'r mynydd fel fi, ond rwy'n sicr y bydd yr hyn a ddysgais gan Murga o ddefnydd amhrisiadwy i mi, yn enwedig wrth geisio arbed y llewod rhag llarpio'r defaid yn nhywyllwch y nos!*

Pan gerddodd Murga i'r dafarn y noson honno fe oleuodd llygadau Ellen megis canhwyllau. Yn ei law fe gariai Murga becyn o gardiau, a chyn eistedd gyda ni archebodd botel o ddiod ddi-liw ger y bar gan ddod â gwydryn bob un i ni gael blasu'r hylif dieithr. Gŵr na wastraffai ei eiriau oedd Murga, a phan ddechreuodd rannu'r cardiau rhyngddo a'r brodyr Harris, Lewis a minnau fe wyddwn nad oedd gen i ddewis ond eu codi a cheisio chwarae gêm a waharddwyd o 'nghartref gan fy annwyl deulu. Closiodd Ellen at ei gŵr gan sipian yr hylif di-liw yn sidêt. Rhoddai wich pan dybiai fod Lewis ar fin ennill rownd, ond roedd yn amlwg ei bod hi yr un mor ddi-glem â minnau ynglŷn â rheolau'r gêm.

> *Grawn ydyw'r rhan fwyaf o'r bwyd y byddwn yn ei gludo i'r Wladychfa. Tua thri chan sachaid o wenith ac ugain sach o datws ydyw'r cyflenwad y*

cytunwyd arno rhwng y brodyr Harris a Lewis a minnau. Awgrymodd Ellen mai gwell fyddai darparu blancedi ar gyfer aelodau'r fintai yn ogystal gan fod rhyndod amlwg yn yr aer y nosweithiau diwethaf ym Mhatagones. Efallai nad ydych yn ymwybodol, rieni, ei bod yn aeaf ym Mhatagonia yn ystod tymor yr haf yng Nghymru a diolchgar ydym i Ellen dynnu'n sylw ni wŷr at y ffaith fod angen cynhesrwydd ychwanegol ar y merched a'r plant yn ystod y dyddiau cynnar oer hynny wedi i'r fintai lanio.

Pe bai Ellen ond yn dangos llygedyn o'r didwylledd a roddaf yn goron o glod arni yn y llythyr pitw 'ma!

Doedd gen i fawr o awydd chwarae rhagor o gardiau ac roedd y ddiod ddi-liw wedi dechrau llosgi fy stumog â phob dracht a gymerwn ohoni. Digon diolchgar oeddwn i pan ddechreuodd Murga gasglu 'nghardiau yn arwydd di-air fy mod newydd golli rownd o'r gêm. Teimlwn yn hynod anesmwyth o wastraffu arian prin y Pwyllgor Gwladychfaol ar gêm o gardiau. Ar y llaw arall, edrychai Lewis yn hynod fodlon wrth dasgu'i arian ar y bwrdd fel cawod eira, diolch i anogaeth y ddiod ddieflig. Bryd hynny y sylwais fod pentwr punnoedd Lewis yn fwy swmpus na 'mhentwr i.

'Paid â gwario rhagor. 'Dan ni dal angen cyflog ar gyfer y gweithwyr fydd yn adeiladu'r lloches ar gyfer y fintai yn y Wladychfa.'

'Paid poeni! Ma'r 'ffernols 'di rhoi digon o arian i mi!'

'Faint?'

'Mmm?'

'Faint gest di?' Mi wyddwn nad oedd y £25 a

dderbyniais gan y Pwyllgor yn swm digonol i'w alw'n gyfoeth.

'£250! Alli di goelio?'

Na, allwn i ddim. Allwn i ddim blydi coelio.

''Run faint gest ditha 'de?' Gwyddwn o'i lais nad oedd o'n gwybod mai iddo ef yn unig yr ymddiriedodd y Pwyllgor y swm sylweddol o arian.

'Rwbath tebyg.'

Rwbath tebyg o ddiawl, a bryd hynny dechreuais i bryderu ynghylch pam yn union y cefais fy newis gan y Pwyllgor i fynd i sefydlu'r Wladychfa. Bryd hynny'n ogystal y sylwais ar goes Ellen yn ymestyn o dan y bwrdd i gael ei mwytho gan Murga.

'Mae'n hwyr. Gaf i eich tywys i'ch ystafell, Ellen? Dwi'n siŵr eich bod wedi ymlâdd.'

Pe bai ganddi wn dwi'n siŵr y byddai wedi fy saethu, ond doedd ganddi mo'r dewis ond cymryd fy mraich gan ddymuno nos dawch i'r criw meddw oedd yn gylch o amgylch eu cardiau.

'Dio'm 'tha chi i gymryd gofal ohona i.'

'Meddwl am Lewis ydw i. Wedi 'ych gweld chi'n llygadu Murga heno 'ma. Ddim yn deg bod gwraig yn gwneud ffŵl o'i gŵr o flaen dynion parchus 'tha'r brodyr Harris.'

'Gwraig yn gwneud ffŵl o'i gŵr? A finna'n meddwl mai y fo sy'n gneud ffŵl ohona i.'

Teimlai gwynt oer y nos megis dwylo o rew yn fy myseddu o dan fy nillad. Arafodd ein camau.

'Ydach chi'n meddwl 'mod i yma o ddewis, Edwin? Yn rhannu'r un weledigaeth wallgo am y Wladychfa â chi'ch dau? Dwi'm 'di 'nallu â'r un ddelfryd. Dwi'm mor wirion â hynny.'

'Pam, felly, eich bod chi yma?' mentrais. Pam, yn wir, yr oeddem ni'n tri yma?

'Yma o ddyletswydd ydw i. Dyletswydd gwraig i gefnogi'i gŵr i'r eithaf. Ac fel rhan o'm dyletswydd rydw i yma i sicrhau na fydd y fenter o sefydlu'r Wladychfa yn hudo fy ngŵr o 'ngwely.'

'Nid yw cariad at genedl a thir yn medru disodli cariad gŵr tuag at ei wraig . . .' cychwynnais, yn synnu at ei pharodrwydd i ddatgelu'i theimladau.

'O Edwin, nid cenfigennus o dir ydw i. Rwy'n genfigennus ohonoch chi. Cenfigennus o'ch cariad chi tuag at Lewis.'

Gwelodd yr ofn yn fy llygaid. Teimlodd y chwys oer yng nghledr fy llaw. Ni allwn ddweud gair.

'Dwi 'di taro'r hoelen ar ei phen, yndo? Chi . . . a Lewis.'

''Dydy Lewis ddim yn gwbod.'

'Gwbod be? Gwbod am 'ych meddylia budron chi? Gwbod am 'ych chwant gwallgo chi? Gwbod be, Edwin?'

Cyraeddasom ei hystafell yn y tŷ lojin a dilynais hi i mewn. Doedd fiw iddi ddeud yr un gair am hyn wrth Lewis. Dim gair. Roedd ofn yn llenwi ei llygaid, ond tynnodd ei gwisg o'm blaen, serch hynny, i gyfeiliant cân frawychus y crics.

'Dwi wedi'ch gweld chi. Yn sbio arno fo. Wedi'ch gweld chi'n llyfu'i eiria o . . . Dwi 'di'i weld o'n sbio arna chitha 'fyd. Yn trysori'ch geiria chi. Ond dyna'r cwbl sydd gennych chi. Geiria. Mae gen i hyn.'

Safodd yn noeth o'm blaen. Es innau i'w chyffwrdd. Wn i ddim yn iawn pam.

'Dwi'n gwbod 'ych bod chi'n fy nghasáu i, Edwin.'

71

Doeddwn i ddim am anghytuno â hi.

'Ond a deud y gwir dydw innau ddim yn rhy hoff ohonoch chitha chwaith. Dwi 'rioed wedi gallu'ch rheoli chi, ddim yn y ffordd dwi'n rheoli dynion eraill. Dach chi 'rioed 'di cymryd sylw . . . fel 'na ohona i. A rŵan dwi'n gwybod pam.'

'Peidiwch â deud rhagor.' Allwn i ddim gwrando ar air arall.

'Lewis dwi'n 'i garu. Lewis dwi 'i isio. Ond fedra i mo'i gael o i gyd i mi fy hun o'ch herwydd chi. Y chi sy'n ei nabod o, chi sy'n cael gwbod am ei freuddwydion a'i ddyheadau o. 'Swn i'n gneud unrhyw beth i gael bod yn rhan o'r berthynas arbennig, yn rhan o'r agosatrwydd cyfrin sydd gennych chi'ch dau, am ennyd yn unig.'

Mor hawdd oedd gorwedd wrth ei hochr ag oglau Lewis ar y glustog gerllaw. Mor hawdd oedd estyn amdani. Mor hawdd oedd gadael iddi gysgu wrth i mi sleifio o'i hystafell i f'un innau. Roedd y cyfan mor hawdd. Mor gyfarwydd.

Hi yw'r unig ferch i mi ei chael erioed.

Ymhen deuddydd fe gaiff Lewis a minnau ddechrau ar ein taith gyntaf i Batagonia ar y Juno. *Yn anffodus, ni fydd Ellen Jones yn gallu ein cynorthwyo yn ystod y daith oherwydd iddi gael ei tharo'n wael â rhyw salwch estron.*

Dydi hi ddim yn gallu edrych i fyw fy llygaid ers y noson honno. Teimladau. Creulon, yn tydi? Fel yr oeddwn innau'n dechrau ei ddeall, yn dechrau cydymdeimlo â hi, y mae hithau wedi dechrau fy nghasáu i.

Na hidiwch, annwyl rieni, gan fod y Fon. Ellen
Jones dan ofal meddyg-genhadwr ym
Mhatagones sydd wedi'n sicrhau y bydd mewn
iechyd rhagorol ymhen ychydig wythnosau.

Y cynllun gwreiddiol oedd fy mod i
gynorthwyo tri gwas cyflogedig yn y gwaith o
yrru pum cant o wartheg a rhai cesig dros y tir o
Batagones i safle'r Wladychfa ger afon Chubut,
ond credais mai gwell oedd cynnig cefnogaeth i
Lewis ar y Juno. *Nid wyf yn hyderus ei fod o yn ei*
iawn bwyll; mor fawr yw ei bryder ynghylch
iechyd ei annwyl wraig.

Neithiwr fe gefais hunllef.

Dychmygais fy mod yn hedfan fry uwchben y tir
llychlyd yma ym Mhatagones ac fe'm meddiannwyd â
rhyw deimlad ysgafn, braf. Roedd gwên ar fy wyneb.
Gallwn deimlo fy nghalon yn un ymchwydd o
hapusrwydd. Ond yna, edrychais ar y llawr. Yno roedd fy
nghorff yn gelain mewn ffos dywodlyd ar y paith. Roedd
fy nghorff yn friwiau gwaedlyd drosto, a gwelwn lew yn
y pellter yn synhwyro arogl y gwaed. Wrth i'r anifail
lwybreiddio'i ffordd tuag ataf fe newidiodd ei ffurf yn dri
gŵr, y tri gwas, y ddau Archentinwr a'r negro. Ceisiais
weiddi ond ni feddwn ar y llais i erlid y negro rhag
gwledda ar fy nghnawd, a'r cwbl y medrwn i ei glywed
oedd llais Ellen yn sibrwd yn ysgafn yn fy nghlustiau.

Deffrais. Doedd gan Lewis ddim dewis. Roedd yn
rhaid i mi deithio gydag ef yn niogelwch y sgwner.

Bydd fy llythyr nesaf yn dyfod atoch o'r
Wladychfa ac rwy'n edrych ymlaen yn eiddgar at

73

gael sgrifennu'r cyfeiriad yn fawr ar ddechrau'r llythyr! Anfonaf fy nghyfarchion gwresocaf atoch oll.

Gair. A gaf i ddarllen dim ond gair gennych . . .

Cofiwch fi at fy Nhad.

Yn ffyddlon oddi wrth eich mab,

Y Bonwr Edwin Cynrig Roberts.

Pennod 7

Dydd Sabbath, 28ain

Cychwynasom o'r afon am tua 4 o'r gloch y boreu.
Wedi d'od o'r afon cawsom wynt croes. Yr oeddym yn
myned allan gyda Thug boat, yr hwn a'n gadawodd tua 2
o'r gloch y prydnawn yng nghanol y moryn cynhyrfus. Eis
yn bur sal a phawb arall oddigerth ychydig. Parhau yn
stormus iawn a wnaeth trwy'r dydd. Gwnaeth noson
stormus.

Dyddiadur Mimosa, Joseph Seth Jones,
gol. Elvey Macdonald

Chwech ar hugain, saith ar hugain, wyth ar hugain . . . Ni
wyddai Jane yn iawn pam y cyfrai'r craciau a'r ceinciau
tywyll yn y planciau pren uwch ei phen. Gorweddai ar ei
chefn ar flancedi ei bync, yn ddall i'r anhrefn o'i
chwmpas. Naw ar hugain, deg ar hugain . . .
canolbwyntiai ar ei chyfri fel pe bai ei bywyd yn dibynnu
ar iddi ganfod yr holl dolciau a nodweddai'r planciau
uwch ei phen. Ymwthiodd trwyn bach pinc drwy'r
planciau gan dorri ar draws rhythm ei chyfri a gwelodd
lygaid bach tywyll yn sbecian i lawr arni gyda gwên.

'Rich-ard! So fi'n dy helpu di os wt ti'n mynd yn
styc!'

Llwyddodd y sgrech i ysgwyd Jane allan o'i nyth o
flancedi ac i sylwi ar y teulu a oedd bellach wedi
ymgartrefu ar y bync bychan uwch ei phen.

'John! Paid pisho yn y bwced dŵr yfed! Daniel, gad lonydd i dy whâr!'

Er y sgrechiadau a glywsai'n ddyddiol gan blant niferus Mrs Ifans drws nesaf yn ôl yng Ngheidio, nid oedd Jane wedi gweld y fath sioe erioed o'r blaen. Yn nhywyllwch y *lower deck* tybiai Jane iddi allu cyfri chwech o blant i gyd, ac yna saith o sylweddoli mai baban oedd yn y pentwr pỳg ym mreichiau'r fam a dynnai'n angerddol am faeth o'i bron.

'Odi Mary yn 'ych bync chi?

Cymerodd Jane ychydig funudau i sylweddoli bod y fam ofidus wedi gofyn cwestiwn iddi. Aeth ar ei chwrcwd i ymchwilio cynnwys ei bync gan sylwi ar ferch fach â baw trwyn yn masgio'i cheg yn byseddu ei chopi o'r *Patagonian Missionary* yr oedd y Parch. Arnallt Morgan wedi'i brynu iddi. Estynnodd Jane ei llaw i geisio annog y plentyn gwyllt yr olwg o'i bync (ac yn bwysicach fyth, oddi ar ei blancedi – doedd wybod pa salwch oedd ar y ferch fach). Rhoddodd y plentyn sgrech a barodd i holl drigolion y stafell ddistewi.

'Be 'nest ti i'r 'ogan fach 'na rŵan?'

Y wraig fawr a daflodd ieir Jane drwy'r *hatch* yn gynharach a siaradai.

'Dim!' mentrodd Jane.

'Anodd gin i goelio.'

Plygodd y wraig yn drafferthus i godi'r ferch fudr oddi ar fync Jane gan sibrwd cysuron i'w chlust i arafu'i dagrau.

'Paid busnesa ym mhethe pobl eraill 'to, Mary. Ti'n deall?'

Ceisiai'r fam ddwrdio ei merch, ond roedd yr ansicrwydd yn ei llais yn profi i Jane nad mam a chanddi fawr o awdurdod dros ei phlant oedd y ferch fain o'i blaen. Sylwodd Jane fod y ferch fach wedi dal ei gafael ar ei chopi o'r *Patagonian Missionary* ond doedd ganddi mo'r galon i ofyn amdano'n ôl, yn enwedig wedi iddi gael hergwd go hegr gan din y ferch fawr wrth iddi droi'i chefn arni.

Bryd hynny y dechreuodd y sŵn. Doedd yr un o'r merched yn gyfarwydd ag ochneidiau llong, ond yn araf daethant yn gyfarwydd â gwichian y planciau, gwaeddiadau'r morwyr a hyrddiadau'r tonnau yn eu herbyn. Ond roedd y sŵn yma yn un gwahanol. I Jane fe ymdebygai'r sŵn i grac chwip y sipsiwn a ddeuai (heb groeso) i Geidio yn yr haf. Pan oedd hi'n blentyn fe barai sŵn chwip y sipsiwn iddi ei ofni ac eto ei chynhyrfu ar yr un pryd. Byddai Ruth yn ei chysuro gan ddweud nad oedd y chwip yn achosi poen i'r ceffyl a lusgai'r cert coch a gwyrdd y tu ôl iddo. Wrth graffu'n ofalus roedd Jane wedi sylweddoli fod y gyrrwr yn ofalus i beidio â chyffwrdd y ceffyl â'i chwip, yn wahanol iawn i Elis Plas a yrrai ei ferlen yn ei blaen dan fygythiad cyson ei wialen fedw.

'Well 'mi fynd am sgowt i weld be 'di'r sdyrbans 'ma.'

Y ferch fawr a siaradai wrth godi ei sgerti i ddechrau dringo'r grisiau i'r dec.

'Ti am i mi ddod 'fo chdi, Alice?' gofynnodd rhywun, ond gwrthododd y ferch fawr gwmni merch ifanc nad oedd Jane wedi sylwi arni o'r blaen.

Alice. Doedd y ferch fawr ddim yn edrych fel Alice rywsut. Wrth i'r mamau gasglu'u plant yn eu breichiau gan geisio'u cysuro er gwaethaf synau dieithr cynyddol y llong, meddyliai Jane pa mor dlws oedd yr enw Alice.

77

Enw mor hardd wedi'i wastraffu ar anghenfil o ferch. Pam nad oedd ei mam wedi rhoi'r enw Alice arni hi, tybed, yn hytrach na'r erchyll Jane?

*   *   *

Gwyddai Capten Pepperell mai ei esgeulustra ei hun a barodd iddo gytuno i hwylio'r Cymry hyn i Batagonia. Onid oedd Duw ei hun wedi ceisio'i rybuddio sawl tro i beidio â chytuno i'r fath fordaith yn y dyddiau hynny cyn iddo arwyddo'r contract? Onid oedd sawl cath wen wedi croesi o'i flaen ar y ffordd? Onid oedd wedi anwybyddu'r tair pioden a fu'n ei gysgodi ers dyddiau? Onid oedd wedi camu'n ddamweiniol ar fedd ei nain wrth osod blodau ffres arno? A nawr, a hwythau heb hyd yn oed adael dŵr y Mersi, roedd y *Mimosa* wedi profi ei helbul cyntaf (yn unol â phryderon y Capten, yr helbul cyntaf mewn nifer).

Gyda'r rhaff nerthol a fu unwaith yn clymu'r *Mimosa* wrth y tynfad bellach yng ngwely'r Mersi fe wyddai Capten Pepperell nad oedd y daith yn argoeli'n un dda. Anodd oedd ganddo gredu i'r gwyntoedd a'r tonnau ffyrnig beri'n ddigon i dorri'r rhaff, a dyna pryd y daeth i'r casgliad fod aelodau'r fintai wedi dod â Satan gyda hwy ar fwrdd y cliper.

Doedd dim amdani ond codi hwyliau a gobeithio bod y *Mimosa* eisoes wedi cael ei thywys gan y tynfad heibio i'r twyni tywod mwyaf yn afon Mersi. Cododd goler ei siaced olew a'i chau'n dynn amdano. Gwyddai o ddarllen y cymylau porffor a chwyrlïai uwch ei ben, ynghyd â gwawr ddu y tonnau, fod storm egr ar ei ffordd, ond cyn iddo gael cyfle i alw'r criw ynghyd i gyweirio'r hwyliau teimlodd fys yn ei brocio'n galed ar ei ysgwydd. Trodd yn sydyn yn barod i ddwrdio'r sawl na ddangosai barch at gapten llong ond fe'i trechwyd gan gyflymder tafod Alice.

'Heard a noise. Women and children scared. What's going on?'

Syllodd y Capten yn syn ar y ferch fawr o'i flaen. Safai droedfedd yn dalach nag o ac ni welodd erioed o'r blaen ferch yn berchen ar freichiau megis stanciau; breichiau a nodweddai sawl morwr wedi blynyddoedd o frwydro â'r elfennau.

'Well?'

Cliriodd y Capten ei wddf yn nerfus a cheisiodd ailsefydlu'i awdurdod.

'This area is out of bounds!'

Roedd yn gas ganddo bobl fusneslyd. Yn enwedig merched.

'Well?' holodd Alice eto.

Y gwir oedd, wrth gwrs, nad oedd hi'n deall gair o'r hyn a ddywedodd y Capten a theimlodd yn ddiolchgar wrth weld pen ambell ŵr yn dod i'r fei drwy *hatch* eu chwarteri cysgu, gan gynnwys Tudor ei phriod, a glywsai *staccatto* ei Saesneg. Sylwodd Capten Pepperell ar y gwŷr dieithr yn ei amgylchynu a chafodd ei hun yn ofni seiniau caled eu gwaeddiadau estron. Chwibanodd am gymorth y mêt, John Downes, gan ddiflannu i foeth a diogelwch ei gaban preifat.

'The rope used by the tug boat to lead the clipper out of the Mersey has snapped.'

Ni ddeallodd Alice ond ychydig eiriau o eglurhad y

mêt, a gwyddai o'r crychau ar dalcen ei gŵr a'r olwg goll yn ei lygaid ei fod yntau wedi deall llai fyth.

Pwy oedd y ffyliaid a safai o'i flaen? Pam na allent ei ddeall? Ysgydwodd y mêt ei ben gan roi ail gynnig arni.

'No problem! Everything is alright! Go back below deck, there's a storm brewing.'

Erbyn hyn roedd y Parch. Arnallt Morgan a Hugh Hughes wedi mentro i'r dec a dechreusant egluro i'w cyd-wladwyr mai gwell fyddai iddynt ddychwelyd i'w byncs hyd nes bod y Capten yn cyhoeddi'n wahanol. Er mawr syndod i'r Parch. fe wrandawodd y Cymry arno. Ni chofiai pryd y bu i'w eiriau gael y fath ddylanwad cyn hynny.

O'i flaen syllai'r Parch. yn ddirmygus (ac ychydig yn genfigennus) ar bâr yn cofleidio cyn gorfod diflannu ar wahân i ddiogelwch eu chwarteri cysgu. Prin y medrai'r gŵr gael ei freichiau o amgylch canol enfawr ei wraig, a chydymdeimlai'r Parch â'r gŵr tila. Wedi'r hir gofleidio mentrodd y Parch. ofyn cwestiwn i'r ferch fawr.

'Esgusodwch fi, ond eisiau holi ydw i a ydi fy merch yn teimlo'n eithaf yn y tywydd garw 'ma. Jane 'di 'i henw hi. Jane Morgan.'

Merch gweinidog oedd y ferch fach sych, felly, meddyliodd Alice. Doedd ryfedd nad oedd hi'n tynnu'i phwysau i roi trefn ar bethau o dan y dec. Cymerodd Alice eiliad neu ddau i ystyried sut fyddai orau i dynnu blewyn o drwyn y gŵr o'i blaen. Roedd yn gas ganddi weinidogion, yn enwedig wedi i'r Parch. Evan Jones Evans geisio cael gafael ar ei bronnau yn dilyn y cwrdd gweddi yn Llanddaniel-fab bedair blynedd ynghynt.

'Jane Morgan 'udsoch chi? Na, ddim 'di clwad

amdani. Hyd y gwn i does 'na neb â'r enw 'na dan y dec 'fo ni'r genod a'r plantos.'

Gwenodd Alice wrth weld y Parch. Arnallt Morgan yn gwelwi o'i blaen cyn iddi droi ar ei sawdl a cherdded tua'r *hatch*.

*   *   *

'Pawb i aros o dan dec! Storm uffernol ar y ffor' medda'r Captan.'

Gwrandawodd y merched yn astud ar gyfarwyddiadau Alice, a llwyddodd ei geiriau i lonyddu'r plant mwyaf hy ymhlith y degau a neidiai o fync i fync.

'Diffoddwch y lampau! 'Dan ni'm isio tân 'ma. Symudwch dan draed, wir Dduw, a dowch â'r bwcedi 'ma i mi gael 'u gwagio nhw. 'Sgin i'm ffansi nofio yn 'ych piso chi pan ddaw'r sdorm 'ma i'n hysgwyd ni.'

Gafaelai Alice mewn pedwar bwced ar y tro gan arllwys eu cynnwys amwys i'r gasgen briodol. Doedd dim dwywaith ym meddwl Jane. Roedd ysbryd Ruth wedi trawsblannu'i hun yng nghorff enfawr Alice, a thra oedd hi gerllaw'n cyfarth cyfarwyddiadau fe deimlai Jane beth cysur.

'Jane! Rho'r gora i'r syllu 'na! Ti 'tha llo! Dos i helpu Marie i gadw'r meincia 'na!'

Aeth Jane i'r cyfeiriad y pwyntiai bys Alice tuag ato gan ganfod merch fain â siôl sidan am ei hysgwyddau yn ymdrechu i wthio'r meinciau a'r byrddau derw i ben pella'r stafell. Cododd Jane y fainc yn ddidrafferth gan beri i'r ferch ddisgyn ar ei hwyneb ar y llawr.

'Cachu hwch, dwi'n gwaedu?'

Ymsythodd y ferch gan ddal hances les o dan ei thrwyn. O ystyried dillad moethus y ferch ryfeddol hon fe synnai Jane iddi ddefnyddio'r fath iaith.

'Na, does 'na'm gwaed,' sibrydodd Jane.

'Diawl, go dda!'

Estynnodd y ferch flwch tebyg i gragen o blygion ei sgerti gan daro'r defnydd ynddo'n ysgafn o amgylch ei thrwyn. O graffu'n ofalus fe welai Jane fod wyneb Marie'n drwm o baent, ei haeliau'n denau a du a'i bochau'n gylchoedd o binc. Actores oedd hi, tybed? Rhoddodd Marie wên i'r ferch ifanc o'i blaen gan adael i'w dannedd brown sbecian heibio i'w gwefusau cochion. Ni lwyddodd Jane i atal ei braw, ac er mawr ryddhad iddi fe chwarddodd Marie.

'Baco. Stwff da – ond cythreulig. Od, yndê?'

Poerodd Marie i gyfeiriad ei thraed a rhoddodd stumog Jane dro anesmwyth o glywed yr hylif du'n glanio'n bwll ar y llawr pren.

Wedi clymu'r dodrefn yn ddiogel wrth ei gilydd dychwelodd Jane i'w bync Lapiodd ei phlancedi amdani, ac aros.

*   *   *

Ni wyddai'r Parch. Arnallt Morgan yn iawn beth i'w wneud. Erfyniai'r rhan ofalus ohono am ddychwelyd i chwarteri cysgu'r dynion i ddisgwyl am y storm, ond roedd y tad ynddo yn ei gymell i fynd i chwilio am ei annwyl Jane ymhlith y merched. Wrth geisio meddwl yn bwyllog fe wyddai nad oedd posib iddi fod wedi dianc oddi ar y *Mimosa*, ond nid oedd dyfalu i ba eithafion yr aethai ei ferch i sicrhau poen iddo. Caeodd ei lygaid a dychmygu ei chorff llonydd yn arnofio ar wyneb y tonnau tywyll yn y porthladd a'i gwallt yn gynffonnau o farwolaeth yn ei thynnu o dan y dŵr.

Doedd dim amdani, penderfynodd, ond bod yn anufudd i orchmynion y Capten a mynd i chwilio am Jane.

Wrth gamu i ddannedd y gwynt fe glywai'r Parch. aelodau'r criw yn gweiddi arno i ddychwelyd o dan y dec. Collodd ei gam ar sawl achlysur wrth i'r tonnau dasgu ar fwrdd y llong a'i faglu. Ac yntau ar ei fol ar lawr fe welai'r Parch. gawell a ymdebygai i loches ieir Jane. Yn ei orfoledd fe anwybyddodd yr oerni a bigai bob rhan ohono gan lithro'i ffordd heibio i chwarteri'r criw i nôl y cawell gerllaw y brif *hatch*.

O'i safle'n dringo'r rhaffau fe sylwodd John Downes ar un o wŷr y fintai yn llithro ar ei hyd ar y dec. Ar hynny taflodd ton fawr ei dafnau i drochi'r gŵr boliog hwn a chwarddodd y mêt yn isel ar y creadur twp oddi tano a stryffagliai ei ffordd i achub ychydig ieir mewn cawell. Gwyddai y byddai'r Capten yn gynddeiriog pe gwelai'r gŵr hwn yn mentro allan ar y dec yn y fath storm, a phenderfynodd mai gwell fyddai ei hel yn ôl i fferru'n ei fync.

'Back to your quarters!' gwaeddodd, ond cipiwyd ei lais gan y gwynt.

Llithrodd y mêt i lawr y rhaffau gan sefyll ychydig gamau y tu ôl i'r Parch. Cliriodd ei wddf gan weiddi â'i holl nerth: *'Back to your quarters – Captain's orders!'*

Gollyngodd y Parch. y cawell yn ei fraw a ffrwydrodd un iâr drwy'r drws tolciog gan ymestyn ei hadenydd a cheisio'i lwc yn y rhyferthwy wrth hedfan i wyneb y storm.

Teimlodd y Parch. ei hun yn cael ei lusgo ar hyd y dec gan law anferth y mêt cyn cael ei daflu'n ddiseremoni lawr yr *hatch* i chwarteri cysgu'r gwŷr. Ond ni faliai'r Parch. am ei friwiau. Fe wyddai na fyddai Jane byth yn gadael ei hannwyl ieir ar ôl a chydiodd yn dyner yn y cawell gan anwesu'r ddwy iâr a sgrechiai mewn cenfigen am eu cyfeilles bluog a oedd bellach yn rhydd o gaethiwed y cawell. Roedd Jane fach yn ddiogel o dan y dec gyda'r merched a doedd dim arall yn y byd, gan gynnwys y storm, yn gallu chwalu'r ymchwydd o gysur a feddiannai galon y Parch.

*   *   *

Yng nghanol pyllau o chwd dyfrllyd fe'i cafodd Jane ei hun yn penlinio gyda gweddill y merched gan sibrwd gweddïau'n daer. Yn arwain y gwasanaeth roedd merch fer, benfelen oddeutu deg ar hugain oed. Hawliai'r puplud dychmygol gan fod ei thaid wedi sefydlu Eglwys yr Annibynwyr yn Rhosllannerchrugog. Teimlai Jane fod ganddi hi fwy o hawl i arwain y gwasanaeth gan ei bod yn ferch i weinidog. Serch hynny, ni allai fod yn genfigennus o'r ferch benfelen o'i blaen a afaelai'n dynn yn y bareli dal piso dan sgrechian Gweddi'r Arglwydd. P'run bynnag, doedd Jane erioed wedi clywed am le o'r enw Rhosllannerchrugog.

Ni allai Jane ddeall pam yn union nad oedd arni ofn. Yn y tywyllwch gallai glywed y plant yn udo a'r mamau'n crio i gyfeiliant cri'r *Mimosa* yn erbyn y storm.

Yn y düwch o'i chwmpas gallai deimlo cyrff dieithr yn disgyn arni gan rym dirgryniant y tonnau yn erbyn cragen y llong. Yn y bedlam o banig a'i chwmpasai roedd Jane yn rhyfeddol o ddigyffro ac ni wyddai'n iawn p'un ai gweddi am faddeuant ynteu gweddi o ddiolch a ffugadroddai'n awr ar ei chwrcwd.

Nid oedd dim y tu mewn i Jane i'w cheryddu, na'i chynhyrfu. Dim. Teimlai'n hollol wag, yn ddalen drallodus o foel wedi sawl ymdrech gan yr awdur i'w llenwi. Fe hoffai'r gymhariaeth hon. Jane, y ddalen wag. Roedd yna elfen o obaith yn y disgrifiad, rhyw addewid y câi, ryw ddydd, ei llenwi. Serch hynny, fe ddiolchai Jane am y difaterwch a'i meddiannai. Gallai'r byd daflu unrhyw beth a fynnai ati ac ni fyddai'n gadael mwy na chysgod clais arni. Sut arall oedd disgwyl iddi ymdopi â byw? Sut arall oedd disgwyl iddi ymdopi â diflaniad ei mam a galar ei thad? Sut arall oedd disgwyl iddi fyw y tu hwnt i'r gwallgofrwydd?

Teimlodd Jane grafangau bychain yn plannu eu hunain yn ei bron. O'r arogl cyfoglyd a ddaethai o'r corff bychan fe wyddai Jane mai Mary, lleidr ei *Patagonian Missionary*, oedd y bwndel carpiog oedd bellach wedi ymgartrefu yn ei chôl. Gwyddai y dylai geisio ei chysuro, rhoi ei braich amdani a sychu'r dagrau oedd bellach wedi ymffurfio'n un â'i baw trwyn megis glud am ei bochau. Serch hynny, fe ofnai Jane pe bai'n gwneud hynny y byddai berygl iddi chwydu drosti, a cheisiodd anwybyddu'r corff esgyrnog a afaelai'n dynn amdani gan esgus gweddïo.

*　　　*　　　*

Roedd Duw gyda hwy ar y *Mimosa*. Dyna a waeddodd y ferch benfelen pan ostegodd y gwyntoedd. Roedd Duw wedi eu hachub, a mawr oedd eu diolch i'r Iôr! Ategodd Alice ei gorfoledd gan erfyn ar Dduw i roddi ei fendith ar Capten Pepperell. Pe gwyddai Alice i'r Capten wrthod cymorth bad achud yn ystod y storm oherwydd bod cargo anghyfreithlon ynghudd ganddo yn yr howld, byddai wedi newid ei phader o fendith yn bader o felltith ymhen dim. Fe wyddai Capten Pepperell pa mor agos y daeth at enau uffern, ac nid oedd affliw o ots ganddo pan gafodd ei ddal gan John Downes ar ei liniau, yn ddall gan ddagrau, yn erfyn ar Dduw am faddeuant.

Ni allai Jane ddal yn rhagor. Rhaid oedd iddi ddianc o afael drewllyd Mary fach. Taniodd Marie y lamp yng nghanol yr ystafell gan danio'i phibell yn yr un modd. Caeodd ei llygaid gan fwynhau'r mwg ac estynnodd am binsiaid o faco gan ei stwffio'n farus i'w cheg. Diolchodd yn ddistaw am bwerau cyfrin ei baco cyn teimlo Jane yn gwibio heibio iddi i agor yr *hatch* am awyr.

'Gwylia lle ti'n mynd, yr uffar!'

Safodd Jane ar y grisiau gan anadlu'r awyr hallt a losgai ei thrwyn. Mawr oedd ei siom o ganfod ei bod eisoes wedi nosi ac na allai weld dim heibio'r hwyliau gwynion a chwifiai fel ysbrydion uwch ei phen.

'Caea'r drws 'na, Jane! 'Dan ni bron â fferru!' gwaeddodd Alice, ond ni hidiai Jane amdani bellach.

Dringodd i fyny'r grisiau i'r dec gan graffu dros ochr y bwrdd i geisio gweld y gorwel. Rhedodd bachgen ifanc y tu ôl iddi, yn drwm dan raffau hemp.

'Hei, chdi!' gwaeddodd Jane, ond nid arhosodd y bachgen.

'You, boy!' ceisiodd yr eildro gan ddynwared cyfarthiad egr ei phrifathro yn ôl yng Ngheidio. Safodd y bachgen yn stond.

'Where are we?'

Trodd y bachgen yn ddiamynedd i edrych arni. *'See that piece of land over there?'* meddai.

Edrychodd Jane i'r cyfeiriad o'i blaen, ac o graffu'n galed gallai olrhain amlinell creigiau dan olau'r lleuad. Teimlodd ryw gynnwrf annisgwyl y tu mewn iddi. Ai dyma ynysoedd egsotig Madeira neu Cape Verde?

'That's Anglesey,' eglurodd y bachgen gyda gwên cyn diflannu dan chwibanu i ganghennau mastiau'r *Mimosa*.

Pennod 8

Cylchynir hi ar du y dwyrain gan Fôr yr Werydd, yn
ddeheuol gan Gulfor Magellan, yn orllewinol gan y Môr
Tawedog, ac yn ogleddol gan yr Afon Negro, yr hon sydd
yn fordwyol am saith gant o filldiroedd . . . Nid oes un
rhan o America yn cael ei dyfrhau yn well. Mae y tiroedd
yn hynod ffrwythlawn . . . Y mae y gauaf yn dyner a
hyfryd, ac nid yw gwres yr haf mewn un modd yn
anioddefol, fel nad yw ryfedd yn y byd fod yr archwilwyr
yn barnu ei bod yn un o'r gwledydd iachusaf ar wyneb y
ddaear . . . Os yw amaethwr Cymreig yn medru cadw
deupen y llinyn ar lechweddau caregog Cymru ac o dan
ardaith a threth orlethol, pa beth na wna yng nghanol y
ffrwythlondeb a'r cyfleusderau yn Patagonia?

Y Wladychfa Gymreig, Hugh Hughes

Y Wladychfa Gymreig,
Patagonia,
18fed o Fehefin, 1865.

Fy annwyl deulu,

Fel y gwelwch, annwyl rieni, rydym wedi
troedio ar dir hyfryd Patagonia! Glaniasom ganol
dydd 14eg o Fehefin a rhaid cyfaddef i'r cariad a
deimlaf tuag at y glannau caregog hyn ragori ar
fy hoffter angerddol tuag at Gymru bell. Ai
anghywir yw hyn? Onid oes cyfiawnhad i'm
teimladau? Canys y gorthrwm a'r dioddefaint a

brofais dan law'r landlord a'r Eglwys a'm
gyrrodd i yma i ail-wreiddio fy ngheinciau
Cymreig yn nhiroedd ffrwythlon Patagonia.

Mentrwch, rieni, i ddod i adnabod eich mab.

Nid melys yw fy hanes yng Nghymru. Serch
hynny, rwy'n falch o gael fy ngalw'n Gymro.
Rwy'n teimlo'n Gymro a'r awydd i ryddhau'r
Cymreictod sy'n ffrydio drwy fy ngwythiennau
sy'n peri i mi godi bob bore ac yn fy suo i gysgu
gyda'r hwyr.

Un yw gweledigaeth Lewis a minnau a rhaid
dweud i'r balchder a deimlwyd gennym ein dau
wrth gamu ar dir y Wladychfa am y tro cyntaf ein
mudo am amser. Nid oedd angen geiriau gan fod
baner y ddraig goch a roddais i hedfan ar begwn
uchaf y clogwyni ar y traeth wedi mynegi'r cyfan.

Do, mi lwyddodd i fynegi'r cyfan ac mi barodd i'm
dagrau doddi'r coch, gwyn a gwyrdd gan losgi fy llygaid
mewn sbeit.

Wrth hwylio'r tonnau llwydion o Batagones i'r
Wladychfa fe wyddwn o'r distawrwydd rhwng Lewis a
minnau fod rhywbeth yn bod, ac o'i ddal yn syllu'n ddu
arnaf ar sawl achlysur mi wyddwn nad 'salwch'
dychmygol ei wraig oedd achos ei bryder. Ni ddywedais
air wrtho. Be allwn i ddeud? Wyddwn i ddim beth oedd
Ellen yr ast wedi ei achwyn wrtho. Gwell oedd i mi gadw
lled braich oddi wrtho a gwylio o bellter ei galon yn torri.

Ein tasg gyntaf wedi glanio ar y traeth yma ym
Mhatagonia ydoedd codi gwersyll wrth droed y

penrhyn. Penderfynodd Jerry y negro, un o'r
saith gweithiwr o Batagones a gyflogir gan Lewis
a minnau, mai yng nghilfach ddeheuol y traeth
ydoedd y lle mwyaf cysgodol i sefydlu'r gwersyll.
Dechreusom ar y gwaith yn syth wedi glanio a da
o beth yw hynny gan fod cadw'n brysur yn fy atal
rhag gwirioni'n ormodol â'r ddaearyddiaeth
hynod sy'n ein cwmpasu yma.

Hynod? Hynod o ddiawl. Ni allwn gredu fy llygaid pan
ollyngodd y *Juno* ei hangor gyda sgrech yn y porth. Ni
allwn gredu'r dŵr di-liw a grafangai'n donnau hyd
graeanau garw'r lan. Ni allwn gredu'r creigiau duon
megis crachod a grafai'n greulon ar waelod y cwch
rhwyfo. Ni allwn gredu ias y gwynt yn igam-ogamu'i
ffordd yn frysiog drwy'n dillad. Ni allwn gredu'r
clogwyni llwydion megis cnu aflêr hen famog o'n
blaenau. Ni allwn gredu dim oll o'n cwmpas, y noethni
di-ben-draw a digroeso oedd yn ysu i'n llyncu am i ni
aflonyddu arno. Ceisiais blannu coesyn baner y ddraig
goch yn y llwch mewn ymdrech i'w addurno ond, yn
hytrach, ymdebygai i farc dieithr a gorwych yng nghanol
y llymder maith.

'Ychydig wsnosa fyddan ni 'ma.'

Lewis a dorrodd ar y tawelwch llethol.

'Ma' Dyffryn Camwy tua deunaw milltir i'r de. Ma'r
tiroedd yn y fan honno'n ardderchog yn ôl yr
adroddiadau.'

Ni wyddwn yn iawn pwy yn union y ceisiai Lewis ei
gysuro.

'Dyffryn Camwy 'di'r lle i ni'r Cymry! Paid
digalonni!'

Mi roedd geiriau Lewis yn rhy hwyr. Roedd fy nghalon i eisoes yn deilchion.

Pythefnos yn unig sydd gennym i baratoi lloches ar gyfer aelodau'r fintai gyntaf yma ar y glannau. Y cynllun hyd yma yw i'r fintai ymgartrefu wrth y bae ora y gellir hyd nes bod tai addas wedi eu hadeiladu iddynt yn Nyffryn Camwy.

Saith gwas, wyth gant o ddefaid, chwe mochyn, trigain iâr, chwe chi, chwe cheffyl gwedd, dau bâr o ychen, trol, dau ddwsin o erydr, tri chan sachaid o wenith, ugain sachaid o datws, chwe mil o droedfeddi o flancedi, pedair magnel, Lewis a minnau. A phythefnos yn unig i roi trefn ar y cyfan. Gwallgofrwydd pur.

Cynllun delfrydol fyddai gallu adeiladu rheilffordd rhwng y lanfa a'r dyffryn cyn i'r fintai gyntaf gyrraedd, fel yr awgrymwyd gan y Bonwr Love Jones-Parry . . .

A pham nad ydi'r cythraul o Lŷn yma i'n cynorthwyo yn y gwaith, Dduw?

. . . ond nid yw amser na chyllid yn caniatáu gwireddu'r fath ddelfryd. Serch hynny, gyda chymorth gwŷr y fintai rwy'n sicr y bydd gennym reilffordd yn uno'r bae â Dyffryn Camwy ymhen y flwyddyn.

Ceir sôn nad oes ond ychydig adeiladwyr a chrefftwyr ar y *Mimosa.* Cafwyd ambell ffermwr cwynfanllyd wedi ymgofrestru â'r fintai cyn i Lewis a minnau gychwyn am

Buenos Aires ychydig fisoedd yn ôl. Fy mhryder mwyaf yw mai glowyr galarus am eu pyllau a chwarelwyr yn chwannog am arian o bocedi tiroedd anwar Cymru fydd y rhan helaethaf o'r bobl fydd yn glanio yma ymhen pythefnos; gwŷr heb na chrefft na syniad ynglŷn â sut i ddofi tir gwyllt y Wladychfa. Duw a'n helpo.

> Wedi i ni gwbwlhau codi'r gwersyll ein gorchwyl nesaf ydoedd dadlwytho'r defaid a'r ceffylau oddi ar y Juno ac adeiladu corlannau ar eu cyfer. Anodd yw i mi ddisgrifio mewn ychydig eiriau ehangder maith y tirwedd yma a buom oll yn gweithio'n wydn drwy'r prynhawn yn casglu drain ar gyfer creu cloddiau addas.

Mae brigau'r ychydig bentyrrau o fieri sydd i'w gweld yma a thraw ar y paith megis papur yn malurio'n rhwydd o dan fawd. Chwarddais pan chwythodd fy ymdrech druenus i godi clawdd ymaith yn y gwynt gan ddiflannu i lwch y gorwel pell. Edrychodd Lewis arna i'n syn a phoerais innau ar y llawr.

'Croeso i'r Wladychfa Gymreig!'

Disgynnais ar fy ngliniau'n wan dan chwerthin. Nid oeddwn i eisiau chwerthin, ond fe lifai fy sgrechian yn un ffrwd o'm genau a meddyliais yn siŵr fod y Diawl wedi meddiannu fy nghorff. Ni theimlais fod Duw erioed mor bell ag y teimlwn y funud honno.

Estynnodd Lewis ei law i mi gan fy nghodi oddi ar y llawr llychlyd. Teimlai ei groen yn gynnes a llaith gan ei chwys. Ni allwn ollwng ei law a gadewais i'm bysedd gydorwedd â'i fysedd yntau am ennyd. Gwaeddodd Jerry arnom i frysio i godi'r cloddiau gan fod oddeutu dwsin o ddefaid eisoes wedi diflannu i enau'r paith, yn mentro ar y cyfle am ryddid. Gwahanwyd ein bysedd, a dychwelasom i'w plannu ym mhentyrrau'r mieri bregus.

> *Antur yn wir ydoedd fy noson gyntaf ar dir eang Patagonia. Fel y gwyddoch, annwyl rieni, rwy'n fugail profiadol a gwirfoddolais i warchod y defaid yn eu corlan a bûm dan arfau yn eu gwylio drwy'r nos. Rhaid cyfaddef fy mod wedi teimlo'n falch o'r cyfle i gael ymarfer fy sgiliau saethu wedi fy hyfforddiant â'r* Lancashire Rifle Volunteers. *Doedd wybod prun ai Piwma ynteu'r Indiaid oedd am ymosod arnaf gyntaf!*

Ydych chi'n falch o'ch mab dewr? Darllenwch ei eiriau gwrol. Edmygwch ei aberth dros ei wlad. Allech chi gredu'r ysbryd mentrus sydd wedi meddianu meddwl llwfr eich mab? Na. Na allech, dim mwy na finna.

Does gen i ddim cof gwirfoddoli i wylio'r defaid y noson honno. Serch hynny, fe'm cefais fy hun yn crafangu'n ansicr am fy magnel wrth geisio tawelu'r gaseg las a dynnai'n wyllt ar ei phenffrwyn tra bod Lewis a'r gweithwyr yn rhwyfo tua'r *Juno*. Edrychodd Lewis yn ôl tuag ata' i gan chwifio'i freichiau mewn ystum o ffarwél. Gallwn glywed y gweithwyr yn chwerthin yn gras dan ganu rhyw alaw werin ddieithr, ac am ennyd ni wyddwn yn iawn p'un ai Lewis ynteu minnau oedd yn wynebu'r perygl mwyaf y noson honno.

Ôl traed Indiaid yn y tywod. Dyna a ddychrynodd y gweithwyr ac a barodd iddynt fynnu cael cysgu yn niogelwch y llong. Ond er i mi archwilio'r milltiroedd o dywod y noson honno ni allwn weld ond patrwm fy nhraed fy hun dan gysgod y magnel. Ac er i mi glustfeinio yn y tywyllwch ni allwn glywed yr un sŵn estron y tu hwnt i garlam fy nghalon uwchben brefu'r defaid.

Cefais gyfle yn ystod y noson gyntaf honno i roddi trefn ar fy meddyliau a chadarnhawyd fy ngweledigaeth ynglŷn â phwysigrwydd y Wladychfa Gymreig gan ddistawrwydd hudolus y nos.

Yr oerni. A'r ofn. Ni wyddwn yn iawn pa un a barodd i'm corff grynu'n angerddol y noson honno. Oerni'r gwynt ynteu ofn yr anhysbys?

Wyddwn i ddim cyn y noson honno 'mod i'n ofni'r tywyllwch. Heb olau lamp neu gannwyll, heb wawr y lleuad neu winc gan seren mi sylweddolais pa mor ddychrynllyd ydi'r tywyllwch. Pa mor ofnus ydw i o'r dim du o fy nghwmpas.

Ceisiais ddilyn esiampl y defaid dof o'm blaen a fabwysiadodd y paith yn ail gartref ymhen ychydig oriau, gan gysgodi'n gysglyd yn bentyrrau gwlanog yng nghysgod y cloddiau drain. Ond llwyddodd ofn i'm cadw'n effro a gwyliadwrus ac ni allwn ildio i flinder y nos â'r un rhwyddineb â'r defaid twp.

Ar gefn y gaseg lwyd mi gylchais y gorlan yn rhythmig drwy'r nos a rhwd y magnel yn toddi'n farciau brown yn chwys fy llaw. Ceisiais feddwl am amryw o bethau. Y Wladychfa, y gwaith adeiladu o'n blaenau. Y daith ar y *Mimosa* a'r croeso a roddwn ar ddiwrnod glanio'r Cymry yn eu gwlad newydd. Ond allwn i ddim. Drwy'r nos daeth sibrwd Ellen i gosi fy ngwar, a gwres bysedd Lewis i gnesu fy nghorff. Dilynodd y ddau fy nhaith o amgylch y gorlan megis ysbrydion gan fy arteithio â phob cam a gymerai'r gaseg.

Diolch i'm gwyliadwriaeth fe lwyddais i saethu piwma a lithrodd yn agos i gorlan y defaid dros y bryniau llychlyd a'm cwmpasai. Cyn toriad gwawr fe glywais ei bawennau nerthol yn llwybreiddio'i ffordd tua'r defaid . . .

Y bore canlynol fe chwarddodd y gweithwyr wrth iddynt syllu ar yr anifail marw . . .

. . . a thybiais i mi glywed yr anifail enfawr yn llyfu'i weflau o weld y defaid o'i flaen. Anelais fy ngwn tua'r llygaid llachar . . .

. . . sut oeddwn i i wybod . . .

. . . a saethais i gyfeiriad y rheibiwr . . .

. . . mai llwynog digon tila . . .

. . . gan ei daro'n gelain yn ei dalcen!

. . . oedd yr 'anghenfil'?

Ni lwyddodd Lewis i guddio'i wên nawddoglyd o weld y llwynog lleidiog wedi iddo glywed hanes dramatig y lladd gennyf.

'Ewadd, wyddwn i ddim dy fod di gystal ymladdwr!'
Gwridais.

'Cofia di, dwi'm yn meddwl y bysa'r creadur 'di medru anadlu ar y defaid 'ma heb sôn am 'u lladd nhw! Sbia ar 'i esgyrn o! Diawl, mi fysa chdi'n gallu chwarae'i asenna o 'tha tanna telyn!'

Bryd hynny y taflais ddwrn tuag ato. Wnes i ddim llawn sylweddoli fy nerth tan i mi weld Lewis ar lawr a chymylau o lwch yn codi o gwmpas ei gorff.

'About sixty or so sheep missing. Your shooting spree must 'ave scared the lot of them!'

Jerry, y negro, a siaradai. Ni wyddai Lewis a minnau cyn hynny fod y cena'n medru Saesneg. Neidiodd ar y gaseg las gan ei gyrru tua'r gorwel. Nid aeth y gweithwyr eraill i'w ganlyn gan eu bod yn rhy brysur yn chwerthin uwchben corff y llwynog llipa.

Estynnais fy llaw i godi Lewis ar ei draed, ond fe'i gwrthododd. Cododd gan fy anwybyddu ac amneidio ar weddill y gweithwyr i'w ganlyn i gyweirio'r cloddiau drain toredig.

Ddeuddydd wedi i Lewis a minnau lanio ym Mhatagonia bûm yn gweithio'n ddiwyd yn dadlwytho'r gwartheg a'r coed ar gyfer adeiladu lloches yn y bae ar gyfer aelodau'r fintai.

Dychwelodd Jerry ar gefn y gaseg las ymhen tridiau ac oddeutu hanner cant o'r defaid colledig gydag o. Daeth â straeon lliwgar yn ôl am gyfarfod llwyth o'r Indiaid ar ei daith a'i fod wedi lladd tri o'r gwŷr tal â'i ddwylo ei hun. Mawr oedd edmygedd y criw am ei gampau. Mawr oedd fy nghynddaredd innau o weld Lewis yn yfed ei chwedlau'n awchus o amgylch y tân gyda'r hwyr yn y gwersyll.

Er bod sawl adroddiad yn nodi mai gwlad wedi ei dyfrio'n dda ydyw Patagonia, hyd yma y mae ein hymdrechion i ganfod dŵr glân wedi bod yn ofer. Serch hynny, y mae'r Bonwr Lewis Jones yn

fy sicrhau nad dyma'r achos yn Nyffryn Camwy
gan fod yr afon o'r un enw yn dyfrhau'r tir yn
gampus. Newyddion da yn wir i'r amaethwyr
ymhlith y fintai gyntaf!

Gyrrwyd dau o'r gweithwyr gan Jerry ar y trydydd dydd i chwilio am ddŵr i gyfeiriad y gogledd o'r bae. Daeth un yn ei ôl ymhen pum niwrnod, ei weflau'n sych gan dywod a'i gorff yn las gan oerni. Nid oedd wedi darganfod diferyn o ddŵr. Collasai ei gyfaill mewn storm egr a heb lwyddo i ddod o hyd iddo yn ehangder y paith. Emanuel oedd enw'r bachgen coll. Bachgen pedair ar ddeg oed.

Cafwyd glaw ymhen yr wythnos a mawr oedd ein
diolch i'r Iôr am ein dyfrhau. Yn awr cawn gyfle
i adeiladu ffynnon ym mhlith y pentref bychain o
fythynnod a gynlluniwyd gan Lewis a minnau.

Jerry a'u cynlluniodd. Nid oes llawer o Gymraeg rhwng Lewis a minnau.

Edrychaf ymlaen at ysgrifennu'r llythyr nesaf
atoch . . .

Pe bawn ond yn gwybod eich bod am ei ddarllen . . .

. . . gan y bydd gennyf straeon di-ri am
ddatblygiadau'r Wladychfa.
Gyrraf fy nymuniadau gwresocaf atoch oll . . .

o oerni'r wlad ddieflig hon.

. . . a chofiwch fi at fy nhad.

Yn wladgarol,

Y Bonwr Edwin Cynrig Roberts.

Pennod 9

Credaf y gellir mentro dweud fod mintai'r *Mimosa* yn gynrychiolaeth decach o werin Cymru na'r un arall mewn hanes; yr oedd pob sir yn y dywysogaeth yn ogystal â phrif dref Lloegr a mannau eraill yn cael eu cynrychioli ynddi. Ceid yno'r amaethwr, y glöwr, chwarelwr, gof, seiri coed a maen, gwneuthurwyr priddfeini, groser, dilledydd, crydd a theiliwr, llenor ac argraffydd, bugail defaid a bugail eneidiau, meddyg a fferyllydd, hen ac ieuanc, crefyddol a rhai heb falio dim mewn na chapel na llan, yr Annibynwyr, Methodist, Bedyddiwr, Wesley, Unodwr ac Eglwyswr, a'r oll yn gredwyr cadarn yn y syniad o Wladfa Gymreig.

Richard Jones yn *Yr Hirdaith,*
Elvey MacDonald

'Paid byta rheina'n agos ata i!'

Cododd Marie'n frysiog oddi wrth y bwrdd bwyd a oedd wedi'i osod yng nghanol y bynciau tila. Aeth i sefyll o dan yr *hatch* agored gan anadlu'r aer hallt, a gadawodd i'r awel ysgafn chwarae â'r cyrls tyn a fframiai ei hwyneb. Syllodd Jane ar y penwaig wedi'u piclo'n serennu'n seimllyd ar ei phlât.

'Chi'm yn licio pysgod, Marie?' mentrodd Jane.

Llamodd Marie i fyny'r grisiau, ac ymhen dim fe glywodd y merched oll ei chasineb tuag at y penwaig yn disgyn yn glep o chŵd ar y dec pren.

'Bydd y sâl môr 'ma'n siŵr o'i lladd yn y pen draw.'

Y ferch benfelen o Rosllannerchrugog a siaradai, a llwyddodd ei sibrwd isel i yrru iasau i lawr cefn Jane.

'Rho daw arni, Sioned! Mi fyddan ni gyd 'di marw cyn cyrraedd tasa chdi'n cael dy ffordd! Diawl, y diwrnod o'r blaen mi roedda chdi'n mwydro am weld rwbath wrth fron Betsan,' cyfarthodd Alice.

'Beth?' cododd Betsan ei phen mewn braw o'i phendwmpian gan daro'r babi yn ei flanced bŷg a oedd wedi angori wrth ei bron. Dechreuodd hwnnw sgrechian.

'Dim ond deud ydw i ei bod hi'n annaturiol iddi barhau i fod mor wael. Diwrnod neu ddau o salwch ac mi roedd fy stumog i *back to full working order.*'

Llithrodd ei Saesneg yn llyfn dros ei gwefusau wrth iddi frathu darn o fara ceirch yn sidêt.

'Beth sydd ar fy mron i, Sioned?'

Roedd y panig yn llais Betsan yn amlwg, a dechreuodd sgrechiadau ei phlentyn gorws o waeddiadau eraill hyd nes bod holl fabanod yr ystafell yn cydasio yn eu crio. Parhaodd Sioned i gnoi ei bara'n fud gan wrido. Ni fwriadai greu gelynion o'r merched hyn, ond fe gâi ei dychymyg afiach y blaen arni'n aml.

'Does 'na'm byd ar dy fron di, Betsan fach.' Nid oedd Jane wedi clywed y fath fwynder yn llais Alice o'r blaen. 'Dyna'r broblem! Rho deth i'r 'ogyn bach 'na, wir Dduw, i gau'i geg o.'

Nid oedd Jane wedi gweld Betsan yn bwyta ar y daith hyd yma. Gwyddai am ei stôr o fara ceirch a chaws, ond byddai'r ychydig friwsion oedd ganddi'n cael eu rhannu'n feunyddiol rhwng ei phlant esgyrnog. Llithrodd Jane ei phlât ar draws y bwrdd a chodi oddi ar ei heistedd gan osod ei fforc o flaen Betsan. Nid oedd yr un blas i'w gael ar y pysgod ers dechrau'r daith. A dweud y gwir, nid oedd yr un blas i nifer o bethau ym mywyd Jane ers dechrau'r daith.

Dringodd y grisiau i'r dec a chafodd ddwrn go egr gan y gwynt gan beri iddi faglu dros ei sgerti.

'Ynysoedd Scilly 'di'r smotia 'na. Enw gwirion, 'de! Scilly!' Chwarddodd Marie cyn cymryd ei gwynt ati. Ymsythodd Jane gan fynd i edrych dros ochr y dec wrth ei hymyl.

'Ydi lliw 'yn llgada i 'di llifo?'

Edrychodd Jane ar y rhaeadrau o ddu a lifai o gorneli llygaid Marie.

''Chydig bach,' mentrodd.

'Diawl!'

Estynnodd Marie'r gragen fach o'i phoced gan dasgu'r powdwr gwyn am ei bochau. O'i llawes daeth â darn o farworyn i'r fei ac fe'i defnyddiodd i olrhain siâp ei llygaid a'i haeliau.

'Edrach yn well rŵan?'

Ni wyddai Jane beth i'w ddweud. Hoffai pe bai'n gweld Marie heb ei phaent i'r haul gael rhoi ei liw ar ei chroen. Penderfynodd newid cwrs y sgwrs.

'Ydach chi'n teimlo'n well?'

'Tasa'r babi 'ma ond yn rhoi munud o lonydd 'mi!' Ceisiodd roi gwên wrth anwesu'i bol.

'Wyddwn i ddim . . .' sibrydodd Jane.

'Na'r gŵr chwaith! A paid ti â deud! Syrpréis iddo fo wedi i ni lanio yn y Wladychfa.'

Ni wyddai Jane cyn hynny fod ei chyfeilles newydd yn briod. Yn wir, nid oedd wedi sôn cyn hynny am unrhyw berthynas iddi. Sylweddolodd Jane pa mor ddieithr oedd y merched oll i'w gilydd, pob un â'i hanes a'i chyfrinach ei hun. Serch hynny, fe deimlai Jane ei bod yn adnabod arferion Marie bron gystal â'i rhai ei hun; y modd y peintiai ei hwyneb yn ddeddfol bob bore, sŵn ei baco'n sgaru rhwng ei dannedd wedi pob pryd bwyd, sibrydion ei pheisiau sidan pan geisiai liniaru ei hun uwch ei bwced piso yn y nos. Ond ni wyddai ddim amdani. Ni wyddai ddim am ei hanes, ei breuddwydion, ei dyheadau. Roedd hi'n gwbl ddieithr iddi, a daeth y teimlad o unigrwydd i gosi wrth galon Jane; teimlad yr oedd wedi brwydro yn ei erbyn ers i'w mam ei gadael.

Sylwodd Marie ar yr olwg amheus ar wyneb Jane; estynnodd am y fodrwy a wisgai o amgylch ei gwddf ar ddarn o ruban du a'i dangos iddi.

'Modrwy briodas ei fam. Mae hi'n rhy fawr 'mi. Bysedd fel canghennau ganddi!'

Chwarddodd Marie'n uchel a cheisiodd Jane rannu gwên â'r ferch ryfeddol hon.

Canodd Capten Pepperell y gloch y tu ôl iddynt. Dau o'r gloch y prynhawn. Amser Cyfeillach, a syllodd Jane ar y dec yn araf fywiogi â chlebar uchel y Cymry.

*   *   *

Nid oedd y Parch. Arnallt Morgan yn cofio pryd y bu'n teimlo cystal ag y gwnâi yn awr. Gwyddai ei fod wedi colli'i fol (yn sgil dyddiau dirifedi o salwch môr) ac o golli'r pwysau fe ddiflannodd ei glwy marchogion megis gwyrth. Ac yntau'n rhydd o'i boenau yn ei rannau isaf, fe lwyddai i brofi nosweithiau hyfryd o gwsg a gwyddai fod y sachau duon o dan ei lygaid yn araf ddiflannu o ganlyniad.

Cwsg oedd cyfaill y Parch. yn awr, heb anghofio'i Feibl wrth gwrs. Oherwydd y tywydd garw roedd aelodau'r fintai wedi eu gorchymyn i aros yn eu byncs o dan y dec am gryn amser, ac yn niflastod y tywyllwch fe ddarganfu'r Parch. wychder rhinweddau cwsg. Câi'r un freuddwyd dro ar ôl tro, am blât enfawr o gig eidion Glan-rhyd a thatws a llysiau o'i ardd liwgar yn ôl yng Ngheidio. Gallai flasu'r saim ar ei wefus ac ogleuo'r braster yn toddi o dan ei dafod. Deuai'r freuddwyd i ben gyda Ruth yn rhoi cusan wlyb ar ei dalcen yn wobr iddo am grafu'i blât yn lân – y compliment mwyaf i unrhyw gogyddes. Yn ddistaw bach, fe bryderai'r Parch. ynglŷn â'r gusan ddychmygol a gawsai'n nosweithiol gan ei gyn-forwyn. Pan oedd yn effro ni theimlai'r un gronyn o serch tuag ati, ond eto ni theimlai'r Parch. yr un bodlonrwydd ar y nosweithiau pan na ddôi Ruth ato yn ei freuddwydion.

Ceisiai'r Parch. beidio â phryderu'n ormodol am ei ffantasïau. Wedi dyddiau yng nghwmni gwŷr digon garw'r fintai o dan y dec, yn gwrando ar eu sgwrsio a'u blysio pechadurus, doedd ryfedd bod ei feddwl wedi'i effeithio ganddynt. Fe geisiai Hugh Hughes ac yntau gynnig peth goleuni a hyfforddiant iddynt yn nysgeidiaeth yr ysgrythur, gan gynnal cyfarfodydd anffurfiol o amgylch y bwrdd bwyd. Ond rywfodd fe gipiwyd eu hapwyntiad dyddiol ar y bwrdd gan griw o fechgyn (cyhyrog) a chwaraeai gardiau o fore gwyn tan nos gan roi terfyn ar y cyfarfodydd. Diflannodd y Parch. â'i ben yn ei blu i'w fync, gan dreulio'i amser yn astudio'r Beibl yng ngolau ei lamp, a da o beth oedd hynny. Yn yr oriau tywyll hynny daeth gwres goleuni Duw i'w feddiannu a phrofodd yr un cynnwrf hwnnw ag a barodd iddo dderbyn yr alwad i'r weinidogaeth flynyddoedd yn ôl. Synhwyrai bresenoldeb Duw gydag ef ar y *Mimosa* ac fe deimlodd ryw hyder newydd yn tawelu'i ysbryd gwan.

O glywed cloch Capten Pepperell yn arwyddo amser y Gyfeillach aeth y Parch. ati i wisgo'i wasgod orau a theimlodd wefr wrth lwyddo i gau'r botymau'n glyd amdano. Cerddodd o fync i fync yn annog pawb i fynd ar y dec; sylwodd i'w hyder ei amlygu'i hun yn ei lais newydd o rymus a synnodd at ei effaith wrth i bob un o'r gwŷr godi o'i wely a chyweirio rhywfaint ar eu hedrychiad cyn dringo i'r dec.

Yn goron ar ei dröedigaeth oedd y gusan a dderbyniodd gan ei ferch wedi iddo gymryd ei le wrth ei hymyl yng nghanol aelodau'r fintai. Gafaelodd yn ei llaw, ac o deimlo'i hoerni, ei rhwbio rhwng ei ddwylo garw hyd nes bod ei bysedd bach yn binc. Serch hynny ni sylwodd ar ei gruddiau gwelw. I'r gwrthwyneb, credai'r Parch. fod ei golwg denau yn dygymod yn rhyfeddol â hi a thybiodd iddi brofi'r un profiad ysbrydol ag a barodd ei weddnewidiad yntau. Ond pe byddai'r Parch. wedi mentro edrych ymhellach na'i dröedigaeth ef ei hun, byddai wedi sylwi nad rhyw ymdeimlad ysbrydol oedd yr achos dros wedd eiddil ei ferch. Pe byddai'r Parch. wedi peidio ag ymollwng ei hun i araith y Capten ynglŷn â hanes Moses a'r Ecsodus o'r Aifft, byddai wedi sylwi ar yr ofn yn ystum corff Jane. Byddai wedi sylwi ar yr unigrwydd a lenwai ei llygaid, a'r ansicrwydd a ymgripiai i bob rhan ohoni. A phe byddai'r Parch. wedi digwydd edrych o'i gwmpas byddai wedi sylwi ar yr un cawl o emosiynau yn codi'n donnau yn eneidiau'r fintai oll.

Byddai wedi sylwi ar Alice yn cydio'n dynn yn ei gŵr. Byddai wedi sylwi ar Marie yng nghysgodion y prif fast yn cuddio oddi wrth olygon garw ei phriod. Byddai wedi sylwi ar Betsan yn ymdrechu i ddistewi ei phlant a ddringai megis anifeiliaid ar y rhaffau o'i chwmpas. Byddai wedi sylwi ar Sioned yn sibrwd pader ar ôl pader o dan ei gwynt, tra câi ei llygadu â blas gan lanc o'r enw Wynne Jones o Aberdâr. Byddai wedi sylwi ar bâr priod o Fangor yn ceisio cynhesu'u plentyn dyflwydd oed a oedd yn araf droi'n las er gwaethaf gwres cariad eu breichiau. Byddai wedi sylwi ar lawer mwy pe bai ganddo'r dewrder i wneud hynny, ond yn hytrach ymgollodd yng ngeiriau'r Capten. Onid rhyw fath o Foses oedd yntau, yn rhyddhau gwerin Cymru o'i chaethiwed ac yn ei thywys i Ganaan y Wladychfa?

*   *   *

'It makes fine weather. Best enjoy it instead of hiding in that shit hole.'

Rhoddodd y mêt John Downes gic i glicied yr *hatch* a bu bron iddo fynd â bysedd Marie i'w ganlyn wrth iddi ymdrechu i ddringo'r grisiau i lawr i chwarteri cysgu'r merched.

'You nearly took me 'and off!' sgrechiodd yn ôl arno.

'And that'll be the only thing I'll be taking off you, miss. Seen and smelt the sin that surrounds your sort and let me tell you I don't agree with it.'

Rhoddodd Marie wên fach ddel mewn ymdrech i'w feddalu, ond ni lwyddodd.

'If I hear that you've opened shop on this clipper, I'll personally kick your arse over board. Understand?'

Roedd Marie wedi hen arfer â bygythiadau o'r fath, ond nid oedd wedi disgwyl y byddai ei hanes yn ei dilyn hi ar y *Mimosa*. Gwyddai y byddai ei gŵr yn hanner ei lladd pe bai'n cael gwybod ei hanes. Dyna'r fargen. Ei phriodi a rhoi ei enw o iddi, ynghyd â thocyn i'r Wladychfa, ar yr amod na ddeuai neb i wybod am ei hanes.

''Udis di wrtho fo am fynd i'r diawl?' sibrydodd Alice.

Caeodd Marie ei llygaid yn sydyn mewn anobaith wrth glywed y llais yn cosi'i gwar.

'Glywis di?'

'O'n i 'di dy ama di cyn i'r pen pric 'na drio dy ddychryn di.'

'Be am y gweddill?' Dechreuodd corff Marie grynu'n afreolus mewn ofn.

'Be 'lly? Ydi'r gweddill yn gwbod mai *hwren* wyt ti?'

Cafodd Alice gryn bleser yn llefaru'r gair, gan fwynhau gweld y ferch o'i blaen yn llwfrhau mewn braw. Serch hynny, roedd rhywbeth hoffus ynglŷn â'r ferch ac nid oedd hi'n barod i wneud gelyn ohoni. Dim eto, beth bynnag.

'Na. A ti'n o saff dy le os 'nei di aros efo fi, 'li. 'Dan ni gyd 'di gneud petha 'dan ni'n 'u difaru yn 'yn gorffennol ni. Dyna 'di'r rheswm pam 'dan ni i gyd ar y llong ddiawl 'ma 'de? 'Dan ni i gyd yn rhedag i ffwr o'wrth rwbath neu'i gilydd ac yn ysu am gael dechra eto.'

Gwenodd Marie'n wan, a phlethu'i braich ag un Alice cyn rhoi tro o amgylch y *Mimosa* i anadlu'r awyr iach.

*   *   *

Swniai'r Cyfarfod Gweddi yr un mor ddiflas i glustiau Jane ond fe sylwodd fod rhyw newid yn ei thad. Wrth iddo arwain Gweddi'r Arglwydd gallai Jane glywed rhyw angerdd yn ei eiriau, rhyw rym cyfrin nad oedd i'w glywed ynddo cyn hynny. Ceisiodd ddal ei lygaid sawl tro mewn ymdrech i ddwyn ei sylw, ond yn ofer – ond roedd yn amlwg i'r fintai gyfan fod ei thad wedi llwyr ymgolli yn nelweddau'r weddi.

Gwyddai Jane mai ymdrech i gadw eneidiau'r Cymry'n bur a Christnogol oedd yr holl wasanaethau a gynhelid o fore gwyn tan nos ar y *Mimosa*. Roedd yn gyfle gwych i'r Capten gael cadw llygad barcud arnynt yn ogystal. Ni hoffai ddychmygu pa weithredoedd pechadurus a gyflawnai'r bobl aflan hyn yn nhywyllwch eu chwarteri cysgu. Serch hynny, ni ddeallai Jane pam fod raid i bob Gwasanaeth Boreol arwain at Gyfeillach yn y pnawn ac yna at Gyfarfod Gweddi yn yr hwyr. Pam nad ystyriwyd cynnal eisteddfod, neu drefnu cyngherddau a pherfformiadau o farddoniaeth i dorri ar bregethu di-dor ei thad a'r Capten o'r ysgrythurau?

Llithrodd Jane yn ddistaw o gynulleidfa'r Cwrdd gan sleifio'i ffordd tua charchar ei hieir ar y dec. Rhochiodd y moch yn eu corlan, yn eiddgar o'i gweld yn agosáu atynt ond aethant yn fud o sylwi nad oedd ganddi fwyd iddynt. Estynnodd Jane y cawell gan ei roi i eistedd yn ei chôl. Edrychai'r ieir yn waeth, ac ychydig o blu'n unig a addurnai adenydd un go wan ohonynt. Tybiai Jane mai hiraeth y ddwy am eu cyfeilles rydd oedd achos eu galar a'u salwch. Sut yn y byd y bu ei thad mor flêr â gadael un o'i hannwyl ieir yn rhydd?

Cymaint oedd pryder Jane ynghylch ei hieir fel

na sylwodd ar fachgen ifanc yn sgwrio'r dec wrth ei hymyl.

'*Scilly Islands,*' gwaeddodd yntau, gan gyfeirio at yr ynysoedd a oedd bellach yn frychni du ar yr wybren goch.

'*I know,*' sibrydodd Jane yn ddiamynedd. Edrychodd ar y bachgen gan sylwi mai'r un a ddangosodd Ynys Môn iddi ar ôl y storm ar ddechrau'r fordaith oedd e. Edrychai'n ieuengach na hi, a sylwodd ar ei lygad chwyddedig a rwbiai'n galed â'i ddwrn.

'Meddwl y bysa chdi'n licio gwbod o'n i,' a dychwelodd y bachgen at ei fwced a'i frws i sgwrio.

'Ti'n medru siarad Cymraeg!' atebodd Jane.

'Dio'm mor anodd â hynny,' chwarddodd y bachgen.

Ni hoffai Jane bobl yn ei chymryd yn ysgafn. Yn enwedig bechgyn.

'Pam 'nest di siarad Saesneg y noson o'r blaen, 'ta? Pam ddudis di *Anglesey* yn lle Sir Fôn?'

'Dwn 'im. Yng nghanol y *sailors* Saesneg 'ma 'ddai'n anghofio 'mod i'n medru Cymraeg ... Pam na 'nei di ollwng yr ieir o'r cawell 'na iddyn nhw gael 'mystyn eu coesa?'

Ni hoffai Jane y bachgen hy o'i blaen a honnai ei fod yn malio mwy am ei hieir na hi ei hun. Ceisiodd afael yn dynn yn y cawell, ond llwyddodd y bachgen i'w gipio o'i dwylo gan agor ei ddrws cyn iddi sylweddoli'n iawn beth oedd yn digwydd. Byddai hi wedi eu stwffio'n ddiseremoni'n ôl i'w cawell oni bai iddi sylwi ar ei hieir yn crafu'n fodlon ar lawr pren y dec.

'Edrych pa mor hapus ydyn nhw,' sibrydodd y bachgen yn fuddugoliaethus.

Bryd hynny y daeth y sgrech. Nid oedd Jane wedi clywed sgrech o'r fath ers tro byd. Dim ers i'r un sŵn lifo o'i genau hithau pan ddiflannodd ei mam. Cyn i Jane a'r bachgen gael cyfle i ddod o hyd i achos y sgrech, roedd yr ieir eisoes wedi ymestyn eu hadenydd mewn braw ac yn rhedeg yn betrus tuag at ochr y dec. Mewn ymdrech i'w dal fe neidiodd y bachgen a'i freichiau'n agored ond methodd ei dric a bu bron i Jane lewygu o weld yr hyn a ymdebygai i farblen yn rowlio allan o'i lygad chwyddedig. Syllodd yn gegagored ar y bachgen wrth iddo wlychu'r farblen yn ddiseremoni â'i dafod cyn ei gosod yn ôl yn soced ei lygad.

'Gwylia'r iâr 'na!' gwaeddodd y bachgen arni, ond roedd hi'n rhy hwyr. Rhoddodd yr iâr ddi-blu naid am ei bywyd dros ochr y dec, a'r cwbl a welodd Jane oedd ei thin binc ac ambell bluen gringoch yn diflannu dan y tonnau.

*   *   *

Roedd yr arch mor fychan, mor ysgafn, ar ysgwyddau aelodau criw y llong. Serch hynny fe suddodd megis plwm i'r môr ar ddiwedd yr angladd gan daenu rhyw len o fudandod dros y gynulleidfa.

Caeodd y Parch. Arnallt Morgan ei Feibl yn araf gan fynd at y pâr priod o Fangor ac estyn ei law iddynt mewn cydymdeimlad. Ni allai'r Parch. ddychmygu'r un boen yn waeth na chladdu plentyn. Onid oedd ef ei hun wedi claddu dau cyn i'w hannwyl Jane gyrraedd megis gwyrth i fywyd ei wraig ac yntau? Cymerodd y Parch. law'r tad yn ei ddwylo yntau, a gallai deimlo yn ei fysedd crynedig, y rhew hwnnw a ddaw i feddiannu gwythiennau galarwyr. Ni lwyddodd y fam i edrych i fyw llygaid y Parch. Yn hytrach, fe aeth i edrych dros ochr y dec gan gyfri'r cylchoedd o grychau a dyfai ar wyneb y tonnau uwch cartref newydd ei phlentyn marw. Pedwar, pump, chwech . . . dyflwydd yn unig oedd ei Mathew bach. Dyflwydd. Ni fyddai byth yn gweld ei bedair, ei bump na'i chwech oed. Bryd hynny y disgynnodd ar ei gliniau gan sgrechian yn dorcalonnus. Yr un sgrech yn union a ddaeth o'i genau y noson cynt pan sylwodd nad oedd yr un anadl i'w gael o wefusau gleision ei bachgen bach. Yr un sgrech yn union a lanwai hunllefau Jane pan ddeuai ei mam i sibrwd yn ei chlust yn ei chwsg.

Aeth y tad ati i benlinio wrth ochr ei wraig gan wasgu'i dwylo yn ei rai yntau a sibrwd gweddi'n dyner. Cipiwyd ei eiriau gan y gwynt gan ddwyn eu hystyr o glyw'r gynulleidfa. Teimlai Jane fel gwyliwr digroeso yn y gwasanaeth preifat rhwng y rhieni a phenderfynodd mai gwell fyddai dychwelyd i dywyllwch ei chwarteri cysgu. Fe'i dilynwyd yn araf gan weddill y merched, a llwyddodd y plant i ddychwelyd i'w byncs yn ddi-gŵyn wrth iddynt sylweddoli'n reddfol o'r dagrau a gronnai yn llygaid eu mamau mai gwell oedd gwrando ar y gorchymyn.

Eisteddai Jane ar y fainc ger y bwrdd bwyd a gallasai fod wedi rhoi matsien yn y lamp a'i chynnau, ond rhywfodd teimlai y byddai'n well gan bawb aros yn y tywyllwch. Roedd y distawrwydd yr un mor llethol â'r gwres yn yr ystafell, gyda phob merch yn galaru am ei hanwylyn ei hun. Rhyw gymar neu berthynas. Ynteu bywyd neu wlad. Cododd o'r fainc gan ymlwybro i'w bync i noswylio, ond ni ddywedodd air wrth neb. Rywsut, roedd y mudandod yn dweud y cyfan.

Pan ddaeth y fam alarus i orffwys yn ei bync yn oriau mân y bore fe oleuodd y lamp ac aeth, megis plentyn, i orffwyso ei phen yng nghôl ei chwaer, ei dagrau'n cadw'r merched oll ar ddihun. Teimlai Jane yn falch o'r sdyrbans. Gwyddai, a hithau'n effro, na ddeuai ei mam i'w dychryn yn ei chwsg, ac yng nghysgod goleuni'r lamp daeth rhyw sicrwydd chwerw-felys i lacio'i chorff.

Pennod 10

Dyma fi . . . mewn pryder ac ofn . . . pryderaf wrth feddwl am y fintai gyntaf a ddaw yma gan ddisgwyl fod paratoadau wedi'u gwneud ar eu cyfer, ac y bydd yma wartheg a bwydydd yn disgwyl amdanynt. Os bydd pethau'n wahanol, beth a ddaw o'r Wladychfa? Rwy'n ofni y bydd iddi fethu. A ffarwél wedyn i ail gyfle.

Edwin Cynrig Roberts, 1865
yn *Yr Hirdaith,* Elvey MacDonald

Y Wladychfa Gymreig,
Patagonia,
5ed o Orffennaf, 1865.

Fy annwyl deulu,
  Hyderaf eich bod oll mewn iechyd rhagorol . . .

Beth arall y dylwn i feddwl? Bu'n fisoedd ers i mi glywed gennych . . .

  . . . ac y bydd y llythyr hwn yn cyrraedd eich llaw
  yn ddiogel.
    Braf fyddai cael clywed ychydig eiriau o
  gefnogaeth oddi wrthych . . .

Dim ond gair. Un blydi gair. Ai gormod yw gofyn am hynny gennych?

  . . . i'm sicrhau fod fy llythyrau lu yn cyrraedd
  pen eu taith. Y mae'r ychydig frawddegau a

luniaf yn y llythyrau hyn o bwys hanesyddol i'n
cenedl a da o beth fyddai i chwi eu cadw . . .

Eu trysori, fel y 'trysorwch' eich mab.

. . . er budd Cymry'r dyfodol a gaiff y cyfle i'w
hastudio gan lunio cofnod cywir o sefydlu'r
Wladychfa Gymreig. Mor sicr wyf o lwyddiant y
Wladychfa; ni chredaf . . .

. . . nid wyf yn gadael i mi fy hun gredu . . .

. . . mai cofnodi methiant y Wladychfa a wna
haneswyr y dyfodol!
Ers ysgrifennu atoch mis diwethaf rydym wedi
bod yn gweithio'n wydn i adeiladu lloches
bwrpasol ar gyfer y fintai. Penderfynwyd mai
adeiladau o bren a fyddai'n addas, yn bennaf
oherwydd nad oes gennym ond ychydig
wythnosau hyd nes y bydd y Mimosa *yn glanio yn*
y bae.

Fy syniad i oedd mynd ati i dorri meini'r clogwyni er
mwyn adeiladu tai o gerrig, gyda gwers dameg y Tŷ ar y
Graig a'r Tŷ ar y Tywod yn canu yn fy mhen. Adeiladu
tai o gerrig, tai cadarn, a'u sylfeini'n ddwfn yn nhir sych
y glannau. Onid dyma oedd neges gwers ein Crist?

Cwynai'r gweithwyr yn gyson am ansawdd y graig a
elwid ganddynt yn graig *tosca.*

'Mae hi'n graig wael, Edwin, yn feddal a gludiog.'

'Pryd adeiladaist di dŷ yn dy fywyd, Lewis? Ynghudd
yn dy swyddfa'n chwarae â llythrennau inc dy offer
argraffu er pan oeddet ti'n blentyn. Wnest ti ddim

112

diwrnod o waith caled, diwrnod o waith dyn, cyn i ti lanio ym Mhatagonia!'

Roedd ei lais yn corddi fy ngholuddion a'i gwyno parhaus yn tynnu ar dannau fy nerfau. Hiraethai yntau am ei 'rosyn', ac fe glywn ef yn ildio i'w demtasiynau o dan ei flancedi yn ystod y nos wrth ysu am ei chyffyrddiad. Tyfai'n elyn i mi'n ddyddiol a thrawsnewidiwyd ei gyhyrau chwyslyd o dan straen cloddio'r meini *tosca* yn ffiaidd i'm llygaid megis corff noeth ei 'rosyn'.

Cysidrwyd adeiladu tai o gerrig ar gyfer y fintai
ond tybiwyd – gan mai lloches dros dro ydoedd
yr adeiladau hyn ger y lan cyn symud i Ddyffryn
Camwy – mai gwastraff egni ac amser fyddai
cynllun o'r fath.

Cloddiai Lewis a Jerry'n gyfochrog â'i gilydd gyda chwys eu llafur yn llifo'n rhaeadrau i lawr eu cefnau noeth. Edrychai Lewis yn debyg i byped gwantan yn ufuddhau i orchmynion Jerry a safai'n gawr tywyll wrth ei ymyl. Syllwn ar y ddau'n cloddio'r meini *tosca* a'u taflu ag un hyrddiad egnïol tua'r croen bustach oedd wedi'i glymu wrth gyfrwy'r gaseg lwyd. Yna byddwn innau'n gadael y ddau'n anfodlon wrth arwain y gaseg tuag at y fan lle'r adeiledid sylfaen y tŷ cyntaf gan adael i'r gweithwyr osod y cerrig orau gellid o ystyried eu hansawdd gludiog.

Wrth adael Lewis a Jerry wrth eu gwaith fe allwn glywed eu cwynion yn fy erbyn ar y gwynt a theimlo pigiadau eu sbeit ar fy nghroen wrth i Jerry chwerthin yn gras am fy mhen. Tynnai'r gaseg y cerrig yn hynod anfodlon; gallwn weld poen y llwyth yn ei llygaid a syllai'n geryddgar arnaf. Yr un olwg oedd yn fy llygaid innau wrth weld cysgod cyrff Lewis a Jerry yn cael eu hymestyn gan belydrau'r haul hyd y traeth, ac undod eu symudiadau'n corddi pob rhan ohonof.

> *Ar 19 Mehefin gosodwyd sylfaen y caban cyntaf yn y Wladychfa. Penderfynais mai'r ffordd orau o gofnodi'r foment arbennig fyddai ysgrifennu'r dyddiad ar ddarn o bapur ynghyd ag ychydig eiriau yn amlinellu fy meddyliau . . .*

Yr un meddyliau a rennais, unwaith, â Lewis.

> *. . . ynglŷn â phwysigrwydd sefydlu'r Wladychfa.*

Nid dyna a wnes. Yn hytrach, ysgrifennais gawl fy nychymyg a gadael i'r geiriau o anobaith a thorcalon lifo megis potes poeth ar bapur. Rhoddais y papur i orwedd rhwng dwy garreg wen a phenderfynu gadael fy nghasineb yno yn y sylfaen i ffrwtian yng ngwres y cerrig.

Buom wrthi hyd at hwyr y pnawn yn adeiladu sylfaen ar gyfer un tŷ, a phenderfynais ildio i gyngor Lewis a Jerry. Aeth y gweithwyr i mofyn y pren a gludwyd ar y *Juno* cyn mynd ati i gwblhau caban pren. Sefais innau i edrych ar y pren yn cael ei ddadlwytho ar y traeth, gan sylwi ar y balchder yn ystum corff Jerry o wybod mai ei gynllun ef o adeiladu cabanau pren a fabwysiadwyd gennyf. Llithrodd cysgodion y cymylau uwchben am ennyd gan adael i'r haul roi ei sglein o driagl melyn ar groen Jerry. Teimlais yr awydd mwyaf i fynd ato a'i gyffwrdd. Wedi wythnosau lu yn byw ar fwyd grawn a chig hen ddefaid, roeddwn yn ysu am gael blasu rhywbeth melys.

''Dan ni'n lwcus o'i gael o. Gweddill y gweithiwrs yn dda i ddim ac yn treulio'u nosweithiau yn y gasgen gwrw 'na sy ar y *Juno.*'

Torrodd Lewis ar draws fy myfyrdodau ac am y tro cyntaf ers amser diolchais am ei gwmni. Oedden, roedden ni'n lwcus iawn o gael Jerry, ac fel pe bai'n medru synhwyro diolchgarwch Lewis a minnau cododd ei ben gan wenu arnom.

'You two going to help us?'

Roedd cellwair yn cosi'i lais, gan dynnu Lewis a minnau tuag ato i'w helpu i gludo'r pren tuag at seiliau'r caban anorffenedig.

> *Cyn i dywyllwch y nos ddwyn y golau oddi wrthym fe gwbwlhawyd y caban pren a threuliais noson eithaf cyffyrddus yng nghwmni tri gwas yng nghynhesrwydd yr adeilad newydd. Un ystafell sydd i'r cabanau hyn, yn ddigon i ddal hyd at ddau deulu ac oddeutu pum plentyn yr un. Tybiwyd felly y bydd pymtheg o gabanau yn ddigonol er mwyn llochesu'r 160 a ddaw ymhen ychydig wythnosau ar y* Mimosa *ynghyd â'u heiddo a'u creiriau.*

Penderfynodd Lewis mai gwell fyddai iddo fynd i gadw llygad ar y gweithwyr mwyaf diog a fynnai gael cysgu yn eu meddwdod ar y *Juno.* Llwyddodd Jerry i berswadio dau was i aros gydag ef a minnau yn y caban. Gwyliais y cychod rhwyfo yn fy ngadael ar y traeth a goleuadau gwan eu lampau'n araf ddiflannu i dywyllwch iasoer y nos.

Canai cân y tonnau bach dan y rhwyfau yn fy mhen wrth i mi droedio'r twyni tywod tuag at unigrwydd y caban.

Roedd y ddau was, Arturo a Juan, eisoes yn chwarae cardiau dan wres eu blancedi gyda chymorth stwmp o gannwyll. Gorweddai Jerry'n fud yng nghornel bellaf y caban, ei ddwylo tywyll yn glustog gyffyrddus yr olwg i'w wyneb tlws.

'Arturo, Juan, ver a dormirse!'

Fe'm dychrynwyd gan y llais isel a gyfarthwyd o enau Jerry, a hynny heb grychu'r llen o gwsg oedd yn amlwg ar ei wyneb. Diffoddwyd y gannwyll gan Arturo ac rwy'n siŵr iddo wthio rhech ryfeddol ddrewllyd ohono yn arwydd o'i wylltineb. Llithrais innau o dan fy mlancedi gan geisio arogli'r oglau cyfarwydd. Oglau pridd, oglau fy nghartref. Fy oglau i.

> *Byddwch yn falch o wybod, annwyl rieni, fod Lewis a minnau'n ymdrechu'n galed i gynnal arferion Cristnogol y fam wlad, a phenderfynasom, er gwaethaf pwysau gwaith, i ymatal rhag parhau â'r adeiladu ar y Sul. O ganlyniad treuliasom yr 20 Mehefin yn darllen y Beibl ac yn trafod ein cynlluniau ar gyfer adeiladu Capel wedi glaniad y fintai.*

Am saith y bore cefais fy neffro gan arogl cig yn rhostio ar yr awel. Gallwn glywed poethder y tân yn clecian gyda phob deigryn o saim a laniai ar y cols. Dilynais yr arogl y tu allan i'r caban gan ddod o hyd i Juan yn rhostio tair dafad uwchben fflamau enfawr y goelcerth.

'No, Juan, no! Only two sheep a day. Two. Not three.'

Daliais ddau fys o'i flaen wrth geisio atgyfnerthu fy

nadl, ond trodd y gwas ei gefn tuag ataf gan boeri'n ddi-hid i'r tân. Pam na wrandawai arnaf? Pe byddem yn bwyta tair dafad y dydd byddai'r gorlan yn hanner gwag erbyn glaniad y fintai. Serch hynny, llwyddodd arogl y saim yn diferu i'm distewi, ac fe'm cefais fy hun yn helpu Jerry ac Arturo gyda'r gwaith o gasglu broc môr ar gyfer cynnal y goelcerth. Bryd hynny y glaniodd Lewis gyda'i fflyd fechan o gychod rhwyfo yn llawn gweision tawedog. Fe'u deffrowyd, fel finnau, gan arogl cig yn rhostio a llwyddodd y goelcerth i'w hudo i'r gwersyll gyda gwên.

'Be 'di'r holl fwyd 'ma?' holodd Lewis, ei lygaid cyhuddgar yn llosgi yn ei wylltineb.

'Juan, y gwas, yn meddwl nad ydi dwy ddafad y dydd yn ddigon,' mentrais.

Daliodd Lewis lygaid Jerry yn syllu arno, a gwnaeth arwydd i'r gwas croenddu ei ddilyn tuag at y caban. Dychwelodd y ddau ymhen munudau yn cario pwcedi.

'*Fill them!* Llenwa nhw!'

Neidiodd Jery a minnau'n ansicr i'w llenwi â dŵr môr ac fe'u cariwyd gan Lewis tua'r goelcerth. Taflodd y dŵr hallt ar y fflamau gan foddi danteithion y wledd.

'*Two sheep a day. No more.*'

Daliodd Lewis ddau fys i'r awyr, fel y gwnes innau ynghynt, ond llwyddodd ei eirio pwyllog a chadarnau ynghyd â chynnwys y pwcedi – i fachu sylw'r gweithwyr.

Cododd Juan ar ei draed. '*Vete a tomar por culo!*' meddai.

Cerddodd yn gyflym i'r caban a dilynwyd ef gan weddill y gweithwyr. Chwarddodd Jerry'n uchel.

'*Jerry, what did he say?*' erfyniodd Lewis.

'*Something like "no food, no work".*'

117

Gwenodd Jerry'n slei gan redeg i gyfeiriad y caban i ymuno â'r gweithwyr. Clywais follt y drws yn cael ei gau â chlep gan adael Lewis a minnau megis ffyliaid yng nghanol y gwersyll gwag a mwg y goelcerth yn ein dallu.

> *Y diwrnod canlynol dechreuwyd ar y gwaith o adeiladu'r ail gaban pren . . .*

. . . ar ôl i Lewis lyncu mul a phenderfynu caniatáu tair dafad y dydd ar y fwydlen mewn ymdrech i ddenu'r gweithwyr o'r caban.

> *. . . a chafodd Jerry'r syniad gwych o ddefnyddio'r coed o'r llongau drylliedig ar y traeth er mwyn cyflymu'r gwaith adeiladu. Eironig yw'r ffaith ein bod yn defnyddio pren o longau'r Ysbaenwyr sydd wedi methu gwladychu'r rhan arbennig yma o'r byd yn ein hadeiladau ar gyfer y Cymry. Rydym ni wedi llwyddo, ac wrth drin ceinciau llyfn y coed o'r llongau hyn gallwn deimlo'r balchder yn llacio fy nghorff.*

Pryderai Lewis a minnau'n ddirfawr ynglŷn ag arafwch y gweithwyr wrth eu gwaith yn adeiladu. Daeth toriad arall ar y gwaith wedi i Jerry sylwi ar adar yn hofran uwchben y tir oddeutu tair milltir o'r gwersyll.

'Agua,' cyhoeddodd Jerry gyda gwên. Dŵr. O'r diwedd!

Neidiodd ar gefn y gaseg lwyd a charlamu tua'r gorwel gan beri i gymylau llychlyd ei charnau godi tua'r nen. Peidiodd y gweithwyr eraill â'r gwaith adeiladu wrth weld Jerry'n cael diflannu o'r gwersyll mor rhwydd gennym heb yr un gair o eglurhad.

Aeth Lewis a minnau i gysgodi rhag y gwynt wrth

furiau'r caban, gan wrando ar gyboli'r gweision yn eu hiaith estron o amgylch y tân.

'Fydd y cabanau'n barod gennym mewn pryd?'

Fe wyddwn i'n iawn mai ffwlbri oedd credu'r fath beth, ond ni allwn atal y cwestiwn rhag baglu o 'ngheg. Anwybyddodd Lewis y geiriau.

'Gwell fyddai i mi ddychwelyd i Batagones i nôl rhagor o ddeunydd adeiladu a chyflenwad o fwyd ymhen yr wythnos. Mi a' i â rhai o'r gweision mwyaf diog 'ma efo fi i gael gweld os galla i gyfnewid rhai ohonyn nhw. Diog 'tha pyst, y job lot ohonyn nhw. Fyddi di'n iawn 'fo Jerry, Arturo a Juan yn byddi?'

Gwyddwn oddi wrth dôn ei lais nad cwestiwn yn disgwyl ateb oedd yr hyn a ddywedai. Doedd dim dewis gen i. Roedd yn *rhaid* i mi fod yn iawn.

Y prynhawn hwnnw dychwelodd Jerry ar gefn y gaseg lwyd. Roedd rhyw obaith yn ei lygaid a llwyddodd i godi tamaid ar ysbryd Lewis a minnau gyda'r geiriau hudol: *'Mucho de agua. Plenty of water.'*

> *Ar 21 Mehefin fe ddarganfuwyd dŵr gan un o'r gweision mewn pantle oddeutu tair milltir o'r gwersyll. Y diwrnod canlynol fe symudwyd y defaid . . .*

yr hyn oedd ar ôl ohonyn nhw, beth bynnag.

> *. . . tua'r pantle a rhoddwyd gwas o'r enw Arturo i'w bugeilio. Dychwelodd y gweddill ohonom yn hwyr y prynhawn hwnnw i barhau â'r gwaith adeiladu a llwyddasom i gwblhau'r trydydd caban pren.*

O ddiawl. Cododd storm erchyll o donnau du'r môr i blethu'r chwyn â'r llwch gan ein baglu ar ein taith yn ôl i'r gwersyll. Daliais yn dynn wrth wregys Lewis mewn ofn wrth gofio fel y diflannodd Emanuel, ein gwas ieuengaf, i enau rhyferthwy tebyg ar ein trydydd dydd yn y Wladychfa.

Drwy'r llwch a bigai fy llygaid, gwelais amlinelliad corff yn sefyll ym mhellter y gorwel, corff dyn o daldra rhyfeddol, ac yn ei law roedd yr hyn a ymdebygai i waywffon. Safai'n stond, yn syllu arnom yn brwydro'n ffordd drwy'r storm. Nid amharwyd ar gryfder ei safiad yn erbyn y gwynt, ond cyn i mi gael cyfle i sibrwd y geiriau brawychus 'Indiaid y Teheuleche!', fe ddiflannodd y corff megis drychiolaeth i'r llwch.

Wedi i ni gyrraedd y gwersyll gwelsom fod y caban pren wedi'i chwalu'n ddarnau mân gan y gwynt, a sylweddolais ein bod wedi colli Juan yn ehangder barus y paith.

Treuliasom y dyddiau nesaf yn gorffen dadlwytho'r Juno . . .

Wrth gludo'r sachau ŷd ar gwch rhwyfo o'r sgwner tua'r lan fe ddymchwelodd y cwch bach dan bwysau'r llwyth. Diflannodd y gronynnau euraidd i wely'r môr, a byddwn innau wedi eu canlyn yn ddigon bodlon oni bai i Jerry fy nhynnu allan o'r tonnau â'i freichiau cryfion.

. . . cyn bod Lewis yn dychwelyd ar y sgwner i Batagones i mofyn rhagor o anifeiliaid, offer a nwyddau ynghyd ag Ellen, ei briod, os caniateir iddi deithio gan y meddyg.

Ar 5 Gorffennaf daeth y dydd i Lewis adael y
Wladychfa gyda'r addewid y byddai'n dychwelyd
ymhen deg diwrnod â'r llwyth. Mawr yw fy
nghynnwrf . . .

ac ofn.

. . . o gael bod yr unig Gymro ar dir Patagonia . . .

ar dir Indiaid rheibus y Teheuleche.

yn gyfrifol am dri gwas . . .

Jerry, Arturo a llanc go wantan yr olwg o'r enw Antonio

. . . ac am weddill y gwaith o baratoi'r gwersyll
ar gyfer y fintai.

Clywais y *Juno* yn codi'i hangor gyda sgrech y cadwyni
haearn, ond ni allwn ei gwylio'n gadael y porthladd. Ni
allwn wylio'r gweision yn carlamu hyd y dec yn cyweirio'r
rigin â'r fath brysurdeb. Ni allwn wylio'r hwyliau gwynion
yn codi ac yn tuchan dan law'r gwynt. Ni allwn wylio
Lewis yn fy ngadael i am wres serch ei wely priodasol. Y
gwir yw, ni allwn wynebu fy unigrwydd fy hun.

Erbyn i mi anfon fy llythyr nesaf atoch hyderaf y
bydd y deuddeg caban pren wedi'u cwblhau
ynghyd â ffynnon ac ystordy. Mi wn fod rhagor o
waith caled yn fy wynebu ond, fel y gwyddoch,
rieni, rwyf o gymeriad cryf ac nid yw torchi
llewys ac ymroi fy hun, gorff ac enaid, i waith yn
simsanu fy ffydd yn y Wladychfa.

Na, nid simsanu y mae, rieni. Dymchwel y mae.

Gyrraf fy nymuniadau gwresocaf atoch oll yn ôl
a chofiwch fi at fy nhad,

Yn wladgarol,

Y Bonwr Edwin Cynrig Roberts.

Pennod 11

Daethom i olwg *Madeira,* ac ymlaen heibio *Canary Island* a *Tenerife* . . . Bu amryw o'r bechgyn yn ymdrochi . . . trwy rwymo rhaff wrth y *bowspri* . . . a thrwy fod pennau'r llong yn siglo i fyny ac i lawr bob yn ail, yr oeddynt yn cael trochfa dros eu pennau.

Joseph Seth Jones,
Y Faner, 2 Mehefin 1866

Penderfynodd Jane roi'r bai ar y gwres llethol a ddaeth i fygu'r cyrff o dan y dec. Penderfynodd felly am na ddymunai gredu mai merched ciaidd o'u gwirfodd oedd y rhain o'i hamgylch. Yn dilyn angladd Mathew bach roedd fel pe bai llen drwchus wedi'i thaenu dros y merched oll gan fygu'r rhinweddau canmoladwy hynny yn eu natur. Aeth y merched i bigo ar ei gilydd, a'u pigau'n pothellu'r rhai meddal yn eu plith. Byddai Ruth eisoes wedi crafu cylch o'i hamgylch yn y llawr pren ac wedi sibrwd swynion lu i erlid y diafol o'r llong, ond fe dybiai Jane ei bod yn rhy hwyr i bethau felly. Roedd y diafol eisoes yn eistedd yng nghysgodion yr ystafell, yn mwynhau gweld y merched yn dioddef ym mieri eu natur.

Eisteddai Jane yn awr yng nghanol cynfasau ei bync gyda'i gwallt yn cael ei blethu'n aflêr gan fysedd bychain (a brwnt) Mary fach. Doedd dim pwynt ceisio'i hel yn ôl i fync Betsan, ei mam. Roedd hi fel gwennol, yn

123

dychwelyd i nythu ym mync Jane er gwaethaf ei holl ymdrechion i'w herlid. Roedd Betsan yn rhy brysur yn chwydu'n rhythmig i'w bwced i sylwi ar leoliad ei merch fach, p'un bynnag.

'Y beth fach fudur! Stopia chwdu i'r bwcad dŵr glân 'na, Betsan!'

Alice a waeddai oddi ar ei gorsedd o dan yr *hatch* gan ddal y lamp o dan ei hwyneb mewn ymdrech i ddychryn y merched i gyd.

'Gadwch iddi,' sibrydodd Jane. Pa ots pa fwced a ddefnyddiai? Roedd rhyw haint eisoes wedi meddiannu'r *Mimosa* gan ddwyn dau blentyn oddi ar fwrdd y llong. Yn wahanol i'r pâr priod o Fangor, ni chollodd y rhieni o Landrillo'r un deigryn wrth wylio'r arch fechan yn diflannu'n sblash o dan y don. Bron na thybiai Jane iddi weld rhyw olwg o ryddhad yn llygaid y fam. Roedd ganddi saith o blant ar ôl, a phob un ohonynt mor newynog â'i gilydd. Byddai un geg yn llai i'w bwydo'n fendith.

'Ti am i ni i gyd gyrraedd Patagonia yn ein heirch? Mae glanweithdra'n hanfodol i ddychryn yr hen salwch 'ma oddi ar fwrdd y llong.'

'Ma' Alice yn llygad 'i lle.'

Synnai Jane o glywed Marie'n cadw cefn yr hen Alice flonegog.

'Tyd â'r bychan 'ma i mi. Chawn ni'm eiliad o gwsg os bydd y peth bach 'na'n dal dy salwch di.'

Cymerodd Marie y baban carpiog yn ei breichiau cyn estyn y bwced chŵd i Alice er mwyn ei wagio. Gwnaeth Alice sioe fawreddog wrth daflu'r cynhwysion hylifol i'r gasgen gan dollti peth o'r dŵr glaw i mewn iddo i'w ffug-lanhau ac yna ei ail-lenwi â dŵr glân.

'Betsan, dyma dy ddŵr yfed di, a da ti, defnyddia'r bwced piso i ddal dy chŵd di.'

Estynnodd Alice y bwced carthion o dan drwyn Betsan druan. Sylwodd Jane nad aethai i drafferth i wagio gwastraffion cyfoglyd y teulu bach. O ganlyniad, cynyddodd hyrddiadau chwydlyd Betsan.

Wedi i Alice ailgymryd ei sedd yn seremonïol o dan yr *hatch* fe wyddai Jane fod ffrae arall ar y ffordd.

'Dy blydi penwaig di sy 'di gneud Betsan yn sâl.'

Doedd gan Jane mo'r egni i geisio anghytuno â hi.

'Tewch â sôn, Alice?'

'Drewi'r hen le 'ma efo'u hogla afiach a'u llgada marw'n syllu arnon ni.'

'A finna'n meddwl 'ych bod chitha'n byta pysgod ffwl-pelt tua Môn 'cw?'

'Pysgod Môn, pysgod gora Cymru, 'ngeneth i!'

Roedd Alice yn araf gochi yn ei chynddaredd ac fe hoffai Jane yr effaith a gawsai ei geiriau arni. Byddai Ruth wedi rhoi clustan iddi pe bai'n meiddio llefaru yn y fath dôn wawdlyd ag y gwnaethai'n awr.

'Ma'n rhyfadd iawn fod 'yn iechyd inna mor rhyfeddol o dda o ystyried ma 'mhenwaig i sy wedi gwenwyno'r llong 'ma.'

'Dy stumog di 'di hen arfer 'fo'r fath wenwyn.'

'Gwenwyn eich geiriau chi, Alice? Do, ma'n stumog i 'di hen ddygymod â hynny. Ond go brin bod stumog Betsan druan. 'Ych cwyno parhaus chi a'ch sgrechian yn suro ei thu mewn gwanllyd hi!'

Cododd Alice ar ei thraed a thybiodd Jane y byddai'n siŵr o fod wedi ei tharo oni bai i sgrech plentyn dorri ar draws y casineb oedd rhyngddynt.

'Mam yn marw!'

Bachgen pum mlwydd oed o Aberpennar oedd perchennog y llais. Aeth Alice ato'n ddiamynedd gan ddal y lamp yn agos at wyneb y fam a feiddiai farw ar y fath adeg anghyfleus. Llaciwyd y crychau o gynddaredd a fframiai wyneb Alice gan yr hyn a welai o'i blaen. Gwenodd yn glên wrth droi at y bachgen bach ofnus.

'Dydi hi ddim yn marw, 'machgan i,' meddai wrtho. 'Ma' Duw ar fin dy fendithio di efo chwaer neu frawd bach newydd!'

*   *   *

Llithrodd y gwres yn ddafnau o chwys i lawr corff y Parch. Arnallt Morgan. Gwyddai fod ei wisg yn ymdebygu i fap o gylchoedd gwlyb. Cododd o'i fync i anadlu'r awyr lonydd o dan yr *hatch* a chochodd o sylwi bod ei ben-ôl megis un baban, yn socian gan ei wlybedd ei hun.

'Gwallgofrwydd! Gwallgofrwydd pur!'

Camai Hugh Hughes megis dyn o'i gof yn ôl ac ymlaen ar hyd y planciau pren.

'Ein cloi fel anifeiliaid i farw yn y fath wres! Ydi hi'n gwawrio eto?'

Dringodd y Parch. yr ysgol gan obeithio gweld haenen aur ar y gorwel yn arwydd fod y wawr ar fin torri, ond ni allai weld dim heibio'r düwch a'i hamgylchynai. Ysgydwodd ei ben.

'Thâl hi ddim fel hyn! Pwy sydd awydd mynd am dro o amgylch y dec?'

Glynai barf Hugh Hughes yn dalpiau chwyslyd wrth ei ên. Dechreuodd ei grafu'n galed, yn arwydd o'i anesmwythyd.

'Syr, chi'n gwbod nad yw'r Capten yn caniatáu i ni fynd mas ar y dec wedi iddi dywyllu.'

Bachgen ifanc o Dal-y-bont a siaradai; un o'r bechgyn prin hynny ar y *Mimosa* a wrandawai ar orchmynion ac a gredai mewn rheolau. Roedd y Parch. yn hoff iawn ohono.

'So chi'n cofio stori'r mêt, Mr Hughes, am y dynion dirifedi sydd wedi colli'u bywydau'n ddirgelaidd yn nhywyllwch y dec?' mentrodd y bachgen eto.

Rhedodd ias i lawr cefn y Parch. ac ni ddiolchodd am yr oerni newydd a afaelai ynddo gan ei ddychryn. Dechreuodd rhyw lais isel chwerthin yn nhywyllwch y byncs. Ni wyddai'r Parch. pwy oedd yn chwerthin er gwaethaf golau'r lamp.

'Paid â deud wrtha i fod hogyn clyfar 'tha chdi 'di coelio'r fath falu cachu?'

Dechreuodd y llais chwerthin eto.

'Mr Hughes? Dwi'n cynnig eich bod chi'n mynd â'r 'ogyn bach gwirion 'ma 'fo chi o amgylch y dec i ddysgu gwers iddo fo.'

Diolchai Hugh Hughes nad oedd raid iddo fentro i'r tywyllwch ar ei ben ei hun ac ailblethodd y Parch. ei hun yng nghynfasau ei fync mewn ymdrech i dawelu'r ofn a'i meddiannai. Ond nid oedd y llais wedi gorffen eto.

'Gwell i chi fynd â'r Parch. 'fo chi! Bydd ei weddïau'n siŵr o'ch arbad chi rhag unrhyw niwad!'

Gallai'r Parch. fod wedi anwybyddu'r gorchymyn, cydchwerthin ag o a'i gymryd yn ysgafn. Ond roedd rhyw awdurdod cyfrin yn perthyn i'r llais (awdurdod a lwyddai i wneud Marie, ei briod, yn un swp crynedig), rhyw nerth na fentrai'r Parch. ei groesi. Cododd o'i fync yn anfodlon gan ddilyn camau crynedig Hugh Hughes a'r bachgen i fyny i'r dec.

Yn nhawelwch y nos gallai'r Parch. olrhain siâp ambell esgid morwr ar y rhaffau uwchben, ac am unwaith fe ysai am ryw floedd ffyrnig o'u genau i ddeffro llonyddwch llethol y llong.

'Dim sôn am awel. Bron nad yw hi'n fwy diddos o dan dec, 'ych chi'm yn credu, Mr Hughes?'

'Da'r 'ogyn. Mi fentrwn ni eto yn y bore 'li. Siawns y bydd 'na damaid o wynt i'n hoeri erbyn hynny. Awn ni 'nôl, Barchedig?'

Ni chlywodd y Parch. eiriau ei gyfaill. O'i flaen, yng nghysgod y *deck winch*, gallai weld godre peisiau gwynion a chlywed chwerthin dau. Camodd yn araf tuag at y pâr ac ni sylwodd ar Hugh Hughes a'r bachgen yn ei adael gan ddychwelyd i ddiogelwch eu byncs. Adwaenai chwerthin main y llanc – Wynne Jones, y crydd ifanc o Aberdâr – ond am y ferch, ni allai fod yn siŵr. Pam yr ildiai merched mor rhwydd i'w temtasiynau? Cofiai'r Parch. sut y gwelodd, pan oedd yn blentyn, ei dad yn llosgi gwely halogedig un o forwynion eu fferm am iddi gael ei dal yn caru ar y gwely gyda mab Dôl Wern. Bu'r forwyn yn cysgu ar hen sachau blawd am fisoedd wedyn, hyd nes y bu raid iddi adael ei gwaith ar ôl rhoi genedigaeth i fab un noswaith ar y llawr llechi yn y llaethdy.

Tarfwyd ar gamau petrus y Parch. gan floedd o gyfeiriad *hatch* chwarteri cysgu'r merched.

'Doctor! 'Dan ni angen y doctor!'

*   *   *

128

Ni hoffai Jane olwg y gŵr a gamai'n betrus i lawr yr ysgol i chwarteri cysgu'r merched. Ni hoffai'r priciau o goesau a geisiai (yn aflwyddiannus) lenwi sanau sidan y perchennog. Ni hoffai'r siwt o felfed gwyrdd a nadreddai ei ffordd heibio iddi'n araf. Ni hoffai'r bysedd gwynion a'r ewinedd hirion a grafangai o drawst i drawst mewn ymdrech i gadw cydbwysedd. Ni hoffai'r trwyn smwt a'r gwefusau siâp calon a addurnai'r wyneb ifanc o'i blaen.

''Tis nice to meet you, ladies. I'm Doctor Green.'

'Cadi ffan o Wyddal! Duw a'n helpo!' ebychodd Jane.

Rhoddodd y ferch feichiog waedd i darfu ar y pantomeim.

'She's breech, doctor. Never delivered a live breech baby before. Thought I'd better call for you.'

Marie a siaradai, a synnai Jane o weld Alice yn caniatáu iddi gymryd yr awenau. Casglodd y mamau eu plant ifanc a'u tywys i'r dec. Trodd Jane i'w dilyn. Roedd Ruth wedi cynorthwyo i eni holl drigolion Ceidio yn ystod ei hoes (yn ogystal â chynorthwyo gyda sawl erthyliad) ond doedd Jane erioed wedi gweld plentyn yn cael ei eni. Gwyddai'n eithaf o ble y deuai plentyn o gorff y fam, a hynny trwy wylio sawl llo'n disgyn yn llipa i'r llawr ar gaeau Glan-rhyd, ond brefu'n gariadus a wnâi'r buchod bryd hynny. Nid oedd Jane yn gwybod cyn hyn y byddai geni plentyn yn achosi'r fath boen i'r fam. Nid oedd hi'n barod i glywed yr holl sgrechian.

'A lle ti'n mynd?' holodd Alice yn hy.

'Allan . . .' sibrydodd Jane.

'Ti'm yn blentyn mwyach, Jane fach. Yn helpu'r 'ogan druan 'ma mae dy le di. Dos i brocio'r tân yn y *galley* a berwa ddigon o ddŵr. 'Dan ni angen llieiniau glân yn ogystal.'

Trodd Alice ei chefn arni, a doedd dim dewis gan Jane ond dringo'r ysgol tua'r *galley*. Ar ei ffordd baglodd Sioned o'i blaen, yn fochgoch a chwyslyd gan y sdyrbans.

'Lle 'dach chi 'di bod gyhyd?' mentrodd Jane.

'Oes 'na rywbeth y medra i ei wneud?' torrodd Sioned ar ei thraws.

Syllai Jane yn gyhuddgar arni am ennyd. Gwyddai mai ei *top coat* a wnïodd Ruth iddi a wisgai Sioned amdani, ond doedd ganddi mo'r amser i'w chwestiynu.

'Angen llieiniau glân. Mi a' i i ferwi dŵr,' meddai, a brasgamodd Jane megis merch ar genhadaeth.

Ond y gwir oedd na wyddai pam yn y byd yr oedd angen dŵr berw, na llieiniau glân, ac ni wyddai pam yn y byd y corddai ei thu mewn i gyfeiliant sgrechian y fam feichiog a glywai ar y gwynt.

*   *   *

Syllai'r Parch. yn hynod fodlon ar yr olygfa o'i flaen. Llanciau iach ac o ysbryd cadarn yn ymdrochi i sŵn eu chwerthin. Rhain oedd dyfodol y Wladychfa, ac wrth edrych ar eu cyrff noeth ac ifanc yn sgleinio fel ceiniogau newydd yn yr haul, ni allai'r Parch. ei atal ei hun rhag cenfigennu atynt. Plymiodd bachgen arall i'r dŵr, a'r rhaff a glymwyd am ei ganol yn ei ddal megis pry copyn yn llamu o'i we.

''Dach chi ddim am fentro, Barchedig?'

'Biti bod y ddau ohonom ry hen i neidio i'r dŵr llugoer fel y llancia 'ma, Mr Hughes.'

Ymunodd Hugh Hughes â'r Parch. yn ei genfigen wrth

130

syllu'n lled hiraethus ar y llanciau yn ymdrochi'n llawen
o dan y tonnau.

Ar yr ochr draw i'r llong yr eisteddai'r mamau gyda'u
plant, wedi'u herlid i gysgodi o dan y brif hwyl gan y
Parch. rhag ofn i'r merched ieuengaf yn eu plith gael
braw o weld cyrff noethion y gwŷr wrth iddynt ymdrochi.
A'r rhan helaethaf ohonynt yn famau, roedd y merched
wedi gweld y cyfan o'r blaen, ond hoffai'r Parch. gredu
mai merched gwylaidd oedd merched y *Mimosa.*

Ymunodd Jane â'r merched ymhen ychydig amser, ei
gruddiau'n llwyd gan yr hyn a welodd a'i breichiau'n
ymlafnio â phwced drom.

'Y brych?' holodd Betsan. Roedd haul y prynhawn
wedi gwneud lles iddi, er mawr bleser i'w baban oedd
wedi'i ailgysylltu ei hun fel cragen rhython wrth ei bron.

'Alice yn deud y bydda'r moch yn falch ohono fo.'

Cerddodd Jane yn flinedig heibio i gorlan y moch, a
chododd y ddau fwgan pinc eu clustiau gyda gwich wrth
arogli'r gwaed ar yr awel gynnes. Rhoddodd ei hiâr
oedrannus glwc-clwc o groeso iddi, a bron na welodd yr
un blys am y brych yn llygaid duon honno. Ar ôl cyrraedd
ymyl y llong, arllwysodd Jane gynnwys y bwced dros
ochr y llong. Syllodd ar y lwmpyn cochfrown yn
diflannu o dan yr ewyn gwyn, a gwenodd.

'Sut mae'r fam a'r baban?' holodd Betsan.

'Y ddwy'n rhagorol.'

Edrychodd Jane yn ôl tua'r môr. On'd ydi trefn
pethau'n od? Y ffordd y mae bywyd dwy yn dechrau pan
fo bywydau dau fach wedi'u dwyn oddi arnynt. Bywyd
am fywyd. Dyna oedd dywediad Ruth am y rhyfeddod. Y
modd y ceisiai'r Fam Natur gadw'r byd yn gytbwys.

'Gwell i ti fynd i ddweud wrth y tad, ac wrth dy dad dithau. Bydd e wrth ei fodd! Bedydd cyntaf y fordaith!'

Achos i ddathlu oedd yr enedigaeth i Betsan. Ai dyma ymateb pob mam i enedigaeth? Ai dyma ymateb ei mam i'w genedigaeth hithau? Gwyddai, yn ôl y cerrig beddi bychain yn drwm dan odlau bardd gwlad yn ôl yng Ngheidio, i'w rhieni gladdu dau o blant cyn iddi hi gael ei geni. Wedi'r holl dorcalon, a fyddai ei mam yn gallu teimlo'r un wefr â'r un a lanwai lygaid Betsan yn awr? Ynteu a fyddai'r fath boen wedi pylu a chracio'i chariad?

Camodd Jane rhwng y plant bychain a bendwmpiai'n blith draphlith yng ngwres y pnawn hyd y dec, tuag at sŵn y llanciau'n neidio'n ddi-hid i'r tonnau islaw. Safodd yn ei hunfan o adnabod siâp dau gorff noeth, namyn crysau go bỳg yr olwg, yn clymu rhaffau'n dynn am eu canol. Gafaelodd un o griw y llong, achubwr yr ieir a'i lygaid gwydr, ym mhen arall y rhaffau a'u clymu wrth y *bowsprit.* Ni wyddai Jane yn iawn a gafodd ei gweld gan y bachgen, ond tybiodd iddo roi hanner winc iddi cyn cyfri'n uchel:

'Un, dau, tri, i fewn â chi!'

Chwarddodd Jane wrthi'i hun o weld tinau noeth ei thad a Hugh Hughes yn diflannu dros ochor y llong i gyfeiliant gwaeddiadau heriol y llanciau ifanc islaw.

Pennod 12

Aeth Llew fy hen gyfaill
Am yr Afon Ddu,
A'm gadael yn unig
Yng nghwmni rhyw dri
O blant y wlad newydd
A fuont i mi
Yn dda rhag unigrwydd
Yn hwyr ger y lli.

Edwin Cynrig Roberts, 1865
yn *Yr Hirdaith,* Elvey MacDonald

Pan welwch Indian gyntaf, y mae yn ddychryn i chwi, y
mae yn paentio rhan helaeth o'i wyneb â lliw coch, ac yn
rhwymo ei wallt i fyny fel corn ar ganol ei ben . . . y mae
yr Indian yn wir yn leidr pob peth a ddichon iddo ei
ddwyn, ac y mae'n sicr o'i ladrata er iddo fod mewn
llawer o drafferth yn gwneyd.

Anturiaethau Cymro yn Neheubarth America,
Thomas Richard Jones

Y Wladychfa Gymreig,
Patagonia,
11eg o Orffennaf, 1865.

Fy annwyl deulu,
    Wn i ddim sut i ddechrau'r llythyr hwn,
annwyl rieni. Fe wn ei bod yn batrwm gennyf
bellach i'ch cyfarch, i yrru fy nymuniadau

gwresocaf atoch ac i holi am eich hynt a'ch
helynt. Ond bellach rwy'n amau mai gwastraff
inc ydyw'r cyfan. Pa bwrpas sydd i ffwlbri o'r
fath pan y mae'n amlwg nad rhieni sy'n malio
am eu mab mohonoch?

Ac eto, rwy'n sgrifennu atoch yn gyson, yn eich diflasu
ag anturiaethau amryliw fy mod. A hynny am nad oes
gennyf eneidiau eraill yn fy mywyd i anfon llythyrau
atynt. Eich unig fab yn unig! Dyna i chi gamp eiriol!

Wedi i Lewis ddychwelyd ar y Juno *i Batagones* . . .

Dyma fi eto, yn disgyn i'r un hen arferiad o groniclo
datblygiadau'r Wladychfa hyd at syrffed.

. . . fe sylweddolais fod angen trefn bendant i'n
dyddiau er mwyn cadw ein cyrff a'n heneidiau'n
iach. Gan mai pedwar ohonom sydd yma'n bwrw
ymlaen gyda'r gwaith o adeiladu, hawdd fyddai
mynd i deimlo'n ddigalon ac unig yng nghanol
ehangder maith y tir o'n cwmpas. O ganlyniad
rwyf wedi llunio rhyw amserlen bendant i'n
dyddiau yma mewn ymdrech i alltudio'r
ymdeimladau pruddglwyfus a ddaw i'n
meddiannu yn ein cwsg.
   Bob bore rydym yn codi gyda'r wawr . . .

Neu'n hytrach pan fo pledren Arturo ac Antonio yn ildio
dan straen eu pisiad boreol o gwmpas saith o'r gloch y bore.
Ni allaf agor cliced drom y drws ar fy mhen fy hun, ac ni
allaf ofyn am gymorth Jerry. Hoffwn ddod i'w adnabod, fel
y gwnaeth Lewis yn ystod oriau llafurus yn torri'r graig

tosca. Ond alla i ddim. Er gwaethaf ei wên garismataidd, mae ei lygaid yn fy ngwahardd rhag mynd yn agos ato. Yn fy rhybuddio i beidio â mentro ceisio treiddio drwy ei haenau a dod i adnabod ei feddwl a'i gorff.

> . . . *ac yn ymgynnull o amgylch y gwersyll i godi baner y Ddraig Goch mewn seremoni fawreddog.*

Bydd y gweision yn caniatáu imi gynnal y seremoni'n foreol. Byddant yn eistedd ar y pridd sych o amgylch polyn y faner ac yn fy ngwylio'n straffaglu i geisio codi'r Ddraig Goch ar ei thraed. Nid oes yr un ohonynt yn cynnig rhoi cymorth i mi; serch hynny, mae'n dda o beth eu bod yn lled-ymuno yn y seremoni yn y lle cyntaf. Y mae'n caniatáu ychydig funudau diog iddynt cyn gorfod ailafael yn y gwaith adeiladu.

> *Wedi codi'r faner byddwn yn eistedd i gydfwyta ein brecwast.*

Ychydig o fara ceirch sydd bellach yn ymdebygu i graig, a chig gwydn hen ddafad wedi'i rostio uwchben coelcerth Arturo. Mae'r gwas fel pryfyn yn meddwi ar brydferthwch y fflamau; arwydd, yn ôl Jerry, o gredoau cyntefig ei grefydd. Ni holais Jerry ymhellach, er gwaethaf y ffaith na siaradodd â mi cyn hynny ers i Lewis ein gadael am Batagones. Mae grym a gafael crefydd ar enaid dyn yn fy nychryn. Sut gall dyn fyw ei fywyd yn llym wrth uniongrededd ei grefydd, uniongrededd mewn rhyw ysbryd marw, heb simsanu dim ar ei ffydd? Fy nghrefydd i, os mynnwch chi, yw fy nghariad tuag at fy ngwlad a'i hiaith. Gallwch gyffwrdd fy 'nghrefydd' i, ei harogli a'i blasu. Casgliad o chwedlau hynafol yw crefydd fy nheulu, yn ymdebygu i swyn ac apêl y Mabinogi. Sut gall dyn gredu mewn lledrith?

Wedi'r wledd byddwn yn gafael yn ein hoffer adeiladu ac yn parhau â'r gwaith o godi lloches ar gyfer y fintai gyntaf. Y mae pymtheg . . .

. . . pump . . .

. . . caban eisoes wedi eu cwblhau gennym gan felly roi'r cyfle i ni adeiladu ystordy pwrpasol i gadw cyflenwad o fwyd, offer, dodrefn . . .

. . . a chwrw. Chwe chasgen i gyd, a gludwyd heb yn wybod i mi ar daith gyntaf y *Juno* i'r bae gan y gweision. Yn ôl Jerry, roedd deg casgen i gyd. Fe yfwyd pedair ohonynt eisoes gan weddill y gweision a aeth i feddwi ar fwrdd y llong gyda'r hwyr wedi diwrnod go slac o waith. A ymunodd Lewis gyda hwy yn eu meddwdod? A fuodd yntau'n ymuno yn eu chwerthin a'u malais o'm hachos i?

. . . a chreiriau perthnasol eraill. Mae rhyw lun o ystordy eisoes yn bodoli gennym mewn ogof yn y clogwyni tosca, *ond gwell yw codi adeilad pwrpasol gyda chlicied a chlo pwrpasol rhag ofn i Indiaid y Tehuelche . . .*

. . . a'r gweision . . .

. . . geisio dwyn ein bwyd mewn ymdrech i'n llwgu oddi ar eu tir. Neu'n hytrach, oddi ar dir newydd y Cymry.

Faint o wirionedd sydd i'r geiriau hyn mewn difrif? Ni wn

136

yn iawn. Yn ôl yn ystod misoedd anturus o genhadu dros achos sefydlu'r Wladychfa nid oedd gennyf amheuaeth mai'r Cymry oedd perchnogion y tir anffrwythlon hwn. Tra ym Muenos Aires yn ymbilio am gymorth Rawson, yr addewid am Eden y Wladychfa, ein Gwladychfa ni, a barodd imi gadw fy ffydd. Yn ystod dyddiau cyntaf cythryblus yr adeiladu fe deflais fy hun i'r gwaith, galon ac ysbryd, a hynny yn enw'r Wladychfa, yn enw tir a gwlad newydd y Cymry. Bellach, nid wyf mor sicr. Amhosib yw'n hymdrechion i ddofi'r tir gwyllt o'n cwmpas a'i feddiannu. Ai digon yw plannu'r Ddraig Goch yn y pridd tywodlyd i honni ein bod wedi meddianu'r tir? Ni fu coloneiddio'r un wlad mor rhwydd â hynny. Bu'n rhaid brwydro, colli gwaed a lladd – ac ni allaf anghofio amlinelliad y gŵr tal hwnnw yn ystod y storm, yn syllu arnom â'r fath olwg holgar. Golwg holgar fygythiol.

> *Er nad ydym wedi profi'r un ymosodiad gan griw gwaedlyd y Tehuelche hyd yma, rwyf wedi penderfynu mai gwell fyddai arfogi'r gweision a'u hyfforddi i ddefnyddio'r arfau hynny. Fe all yr Indiaid fod yn disgwyl i'r fintai lanio cyn ymosod. Pe bai hynny'n wir, da o beth fyddai dangos i'r fintai hynny nad chwyn o wŷr mewn gardd estron mohonom, ond milwyr eofn yn barod i ymladd hyd at angau i sicrhau trawsblaniad llwyddiannus y Cymry i diroedd ffrwythlon Patagonia.*
>
> *Rwyf eisoes wedi rhoddi teitl i'r gweision: 'Y Fyddin Gymreig'. Credaf fod gwahaniaeth yn hyder y gweision wedi i mi roddi'r enw anrhydeddus arnynt, ac y maent wedi ymroi i'r hyfforddiant a gynigiaf â'r arfau.*

Yn sicr, maent yn rhoi gormod o'u hamser i'r dryll. Wrth gasglu broc môr ar gyfer y goelcerth un bore, deuthum ar draws corff marw un o'r morloi niferus sy'n britho'r bae. Roedd ei gorff wedi'i ridyllu â thyllau mân, tyllau bwledi. Es innau ar unwaith i geryddu Artuto ac Antonio am wastraffu bwledi prin, ond fe lyncais fy ngeiriau o'u gweld yn mwytho magnel bob un. Drwg o beth oedd i mi roi arfau i'r gweision hyn cyn i mi allu sefydlu rhyw lun o awdurdod drostynt. Nid yw Jerry yn ymuno â brwdfrydedd yr hyfforddi. Cred mai ffwlbri yw meddwl y gall gynnau wedi'u cancro ein hachub pe bai'r Indiaid yn dewis ymosod arnom. Y mae eu gallu ymladdol yn fydenwog, meddai, a gallent ladd dynion drwy edrych arnynt yn unig. Atgoffais innau ef iddo adrodd sawl chwedl amdano'i hun yn lladd rhai o'r Indiaid hyn â'i ddwylo. Gwenodd yntau'n wawdlyd arnaf:

'I have no quarrel with the Tehuelche. It is not me who tries to steal their land from them.'

Nid ystyriais cyn hynny fy mod yn 'dwyn' unrhyw beth. Onid oedd Rawson wedi datgan mai'r Cymry oedd perchnogion cyfreithiol y tir? Gwir ein bod yn atebol i lywodraeth a chyfreithiau'r Ariannin, ond pa ots am hynny? Arferion y Cymry, iaith y Cymry, diwylliant y Cymry fyddai'n teyrnasu'r tir yn y pen draw. Sut y gall delfryd o'r fath gael ei hystyried yn 'ddwyn'?

Yn yr ychydig funudau a gaf i mi fy hun yn ystod y dyddiau caled hyn byddaf yn mynd ati i ddatblygu'r syniad sydd gennyf am fyddin Gymreig drwy gynllunio arfwisg benodol ynghyd â strwythur hyfforddi pendant er mwyn addysgu'r llanciau a ddaw ar y fintai gyntaf sut i drin y

dryll. Gwn fod y Cymry yn ymhyfrydu yn y ffaith
mai cenedl heddychlon ydynt, ond gwn am natur
gwerylgar yr Indiaid a rhaid bod yn barod i fynd i
frwydro er mwyn sicrhau llwyddiant y Wladychfa.

Nid wyf wedi lladd yr un dyn o'r blaen. Bûm yn agos at ladd Guto, fy nghyfaill pan oeddwn yn blentyn, pan deflais garreg ato am iddo wneud hwyl am fy mhen. Teflais y garreg fechan â'm holl nerth gan daro Guto gyda chlec yn union rhwng ei lygaid. Bu'n wael am amser, a rhaid cyfaddef i'r garreg ddigon di-ddim honno niweidio'i leferydd am weddill ei oes. Ond chwarae plant oedd rhyw ffraeo felly. Dwi erioed wedi gafael mewn dryll yn sicr yn yr wybodaeth fy mod am ladd rhywun. Gwir i mi gael hyfforddiant i feddwl fel milwr, ond nid milwr mohonof. Amaethwr ydw i.

Rwyf wedi gwnïo capiau milwrol pwrpasol i'r
gweision a minnau o groen cwningod gyda llinyn
llachar o goch y ddraig yn dal y darnau'n
goronog am ein pennau.

Nid yw Arturo ac Antonio'n fodlon eu gwisgo, a mawr oedd fy mhoen wrth sylwi ar Antonio'n defnyddio'i benwisg i ddal ei garthion ei hun pan aethai gyda'r hwyr i liniaru'i goluddion. Fe wisgai Jerry ei benwisg ef ar ddyddiau oer. Nid wyf wedi caniatáu digon o le i'w ben rhyfeddol fawr, ac ni wn yn iawn sut y llwydda'r cap i aros amdano. Yn sicr, nid yw'n cynnig dim cynhesrwydd iddo ac ni wn yn iawn pam ei fod mor barod i'w wisgo.

Wedi diwrnod caled o waith byddaf yn treulio
ychydig oriau yn eistedd uwch y clogwyni yn

syllu tua'r gorwel am ryw lun o arwydd fod y
Mimosa *ar ei ffordd. Hyd yma y mae'r fintai bron*
wythnos yn hwyr, ac er i hynny fod o blaid gwaith
adeiladu y gweision a minnau, rwy'n pryderu
bod y llong wedi profi rhyw anffawd ar ei thaith.

Beth pe bai pob aelod o'r fintai yn awr yn gelain ar wely'r
môr wedi llongddrylliad? Eu cyrff yn ysglyfaeth i bysgod
brawychus Môr Iwerydd a'r ddelfryd o Wladychfa'n pydru
o dan y tonnau gyda'u cnawd? Sut y byddwn i'n dod i
wybod am y fath alanas? Beth pe bai Lewis ar y *Juno* yn
profi'r un drychineb? Helwyr morloi yn ymosod ar y llong
am iddynt beidio ag adnabod baner y Ddraig Goch yn
chwifio uwch y prif fast. Lewis mewn ofn yn gweiddi am
ei 'rosyn' wrth i waywffon yr helwyr ei drywanu hyd at
farwolaeth . . . Beth wedyn a ddeuai ohonof i? Yn unig ac
ofnus gyda'r tri gwas yn gwmni bygythiol i mi. Fyddai neb
byw yn gwybod amdanom a chaem ein gadael i farw ar y
tipyn tir diffaith hwn. Wedi i ni fwyta'r defaid i gyd, beth
fyddai ein hanes? Llwgu i farwolaeth? Blysio am gig a
llygadu cyrff ein gilydd – a chyn pen chwinciad darganfod
un ohonom yn rhostio uwchben y goelcerth? Beth pe bai'r
Indiaid yn cael gafael arnom cyn hynny? Pa artaith y
byddent yn ein gorfodi i'w goddef cyn ein lladd?

Mae'n anodd atal fy hun rhag mynd o flaen gofid
a byddaf yn ceisio . . .

. . . heb fawr o lwc . . .

. . . rheoli fy nychymyg bywiog cyn ei fod yn cael
y gorau arnaf.

Mae'n rhy hwyr i hynny. Rwyf eisoes yn rhwym i dywyllwch fy meddwl fy hun ac mae bwganod fy mod yn mynnu dawnsio o flaen fy llygaid i gymylu fy nghallineb.

Wedi iddi dywyllu bydd newyn yn dod i gnoi yn fy stumog wedi diwrnod caled o waith a byddaf yn dychwelyd i'r gwersyll am swper. Bydd y gweision, Arturo ac Antonio, wedi paratoi bwyd ar fy nghyfer a byddwn yn cyd-eistedd o amgylch y tân yn sgwrsio am y gwaith sydd yn disgwyl amdanom fore trannoeth.

Wedi iddi dywyllu byddaf yn brysio'n ôl i'r gwersyll. Er nad wyf yn teimlo'n ddiogel ymysg y gweision, nid wyf am fentro rhoi fy hun yn offrwm i'r Indiaid. Wedi i mi weld un o'r Tehuelche yn syllu arnom yn ystod y storm, rwy'n teimlo presenoldeb ei lwyth ym mhobman. Synhwyraf lygaid yn llosgi drwy fy nghroen gwelw a chlywaf siffrwd eu traed hyd y tir wrth iddynt fy nilyn yn feunyddiol wrth fy ngwaith.

Ni fydd ond tameidiau o fwyd yn fy nisgwyl wedi i mi gyrraedd y gwersyll. Bydd Arturo ac Antonio eisoes yn dynn wrth y gasgen gwrw yn udo rhyw alawon gwerin estron. Ni fydd Jerry yn ymuno yn eu meddwdod. Yn hytrach bydd yn gorwedd ar ei flancedi wrth ymyl y tân, y fflamau'n dawnsio a'u hadlewyrchiad ar y chwys hyd groen tywyll ei gorff. Bydd ei lygaid ynghau, ond gwn yn iawn nad yw'n cysgu.

Wedi swpera bydd y gweision a minnau yn mynd ati i ostwng baner y Ddraig Goch. Byddaf innau'n adrodd pader tra bo'r gweision yn penlinio o dan y polyn a byddaf yn plygu'r faner

141

yn ofalus ac yn ei thaenu'n flanced amdanaf pan
ddychwelaf i'n caban i noswylio.

Pe bai'r gweision ond yn dangos hanner y parch a
gofnodaf tuag at fy nghenedl! Ni fydd un o'r tri gwas
diog yn dod i'm cynorthwyo wrth i mi dynnu'r faner â
phlwc egr o'i lle'n chwifio'n llac uwch yr ystordy
newydd. Am gyfnod bûm yn sibrwd Gweddi'r Arglwydd
i mi fy hun mewn ymdrech i deimlo rhywbeth, rhyw
ysbryd neu ryw fod goruchel, yn ystod y ddefod. Wedi
peth amser sylweddolais nad oedd Duw yn agos ataf yn y
Wladychfa, ac nad oedd gwahaniaeth p'un ai gweddi
neu'r wyddor a adroddwn wrth blygu'r faner.

Bellach y mae'n rhaid i'r faner wasanaethu'n flanced i
mi'n ogystal. Lladratawyd fy mlancedi i, blancedi oglau
pridd, oglau fy nghartref, gan Arturo ac Antonio un
noswaith. Nid oedd gennyf mo'r plwc i ofyn amdanynt yn
ôl gan fod y ddau ohonynt yn feddw gaib ac ar ganol rhyw
gystadleuaeth saethu sêr â'u drylliau drwy ffenestr y
caban. Ni cheisiodd Jerry eu cael yn ôl i mi ychwaith. Y
mae ei awdurdod yntau'n llacio ar y ddau was anystywallt
a bydd yn treulio rhan sylweddol o'i ddiwrnod yn swatio
dan ei flancedi ei hun gyda'i lygaid ynghau.

Yn ystod y nos byddaf yn breuddwydio am laniad
y fintai ar y Mimosa, *yn dychmygu'r dathliadau*
lu ac yn rhoi rhwydd hynt i'm dychymyg i gredu y
daw mintai ar ôl mintai o Gymry draw i gynyddu
ar lwyddiant y Wladychfa dros y blynyddoedd
sydd i ddod. Nid oes amheuaeth gennyf, o gofio'r
dioddefaint yn ôl yng Nghymru, mai yma yn y
Wladychfa y mae dyfodol ein cenedl, heb ormes
yr Eglwys a'r tirfeddianwyr barus arnom.

Ond mae trefn ormesol arall yn wynebu'r Cymry wedi iddynt gyrraedd Patagonia: gormes yr Indiaid. Rwy'n gwybod eu bod yn aros. Disgwyl am y *Mimosa* cyn eu bod yn gollwng eu llach arnom. Yn ystod y nosweithiau diwethaf teimlaf eu presenoldeb cynyddol ac yn y bore gallaf olrhain ôl eu traed yn lludw'r goelcerth a chlywed eu sgrechian ym mhellafion y paith.

Un noswaith, neu i fod yn fanylach, ar ein chweched noson ar hugain yma yn y Wladychfa, fe glywodd y gweision a minnau seiniau dieithr yn cael eu llafarganu'n isel ar yr awel. Codais innau ar fy eistedd mewn ofn, ofn a gynyddodd wedi i Arturo egluro'r seiniau arallfydol wrthyf:

'*Tehuelche! vete a tomar por culo!*'

Disgynnodd y gwas yn ôl i'w gwsg meddw. Ceisiais innau ddeall y geiriau dieithr a gosai flewiach fy nghorff:

'*El-al! El-al! El-al!*'

'*Elal, creator of the Tehuelche people,*' eglurodd Jerry, ei lygaid ynghau a heb arwydd o gynnwrf yn ystum ei gorff.

'*Elal, brought to the earth on the back of a swan, taught the Tehuelche the secret of fire, the arc and the bow and arrow. He taught them how to hunt as well as instructing them on moral conduct. Once he had taught them everything he knew he descended from the mountains and was reunited with Kooch.*'

'*Kooch?*' holais. Nid oeddwn am wybod mwy am gredoau paganaidd yr Indiaid, ond fe lwyddai llais tyner Jerry i'm cysuro ychydig ac fe'm cynheswyd gan ei gytseiniaid a'i lafariaid meddal.

'*Kooch created the world. He has always existed in a mass of clouds, like the air, and like the air nobody can*

143

see him or touch him. In the beginning Kooch was surounded by darkness.'

Yn y dechreuad creodd Duw y nefoedd a'r ddaear. Yr oedd y ddaear yn afluniaidd a gwag, ac yr oedd tywyllwch ar wyneb y dyfnder.

'Kooch was saddened by the darkness and began weeping. His tears created the sea, Arrok, nature's first element, and life began.'

Yna dywedodd Duw, 'Casgler ynghyd y dyfroedd dan y nefoedd i un lle, ac ymddangosed tir sych'. A felly y bu. Galwodd Duw y tir sych yn ddaear, a chronfa'r dyfroedd yn foroedd.

'When Kooch stopped crying he gave a deep sigh. His sigh gave origin to the wind which blew away the clouds and gave way to light from Xaleshen, the sun.'

A dywedodd Duw, 'Bydded goleuni'. A goleuni a fu.

'After Kooch had created all three elements he forced an island to rise from the sea on which he created life; birds, animals, insects and fish.'

Yna dywedodd Duw, 'Heigied y dyfroedd â chreaduriaid byw, ac uwchlaw'r ddaear eheded adar ar draws ffurfafen y nefoedd'.

Yna dywedodd Duw, 'Dyged y ddaear greaduriaid byw yn ôl eu rhywogaeth: anifeiliaid, ymlusgiaid a bwystfilod gwyllt yn ôl eu rhywogaeth.' Ac felly y bu.

'Beautiful story, no?' holodd Jerry.

Roedd y llafarganu y tu allan wedi peidio ac ni allwn glywed dim y tu hwnt i chwyrnu rhythmig Arturo ac Antonio.

'Yes.' Ni allwn lai na chytuno ag o. *'It's a very beautiful story.'*

144

Wedi noson wael o gwsg fe gododd y gweision a minnau y bore canlynol i ganfod bod ein holl offer coginio wedi diflannu, ynghyd â rhaffau, picelli a'r gaseg lwyd, oedrannus. O amgylch y caban roedd ôl traed dieithr yn batrymau yn y pridd. Disgynnais innau ar fy ngliniau mewn anobaith tra rhuthrodd Arturo i weld a oedd y Tehuelche wedi dwyn y defaid hefyd.

Ymhen yr wythnos hyderaf y bydd Lewis yn dychwelyd i'r bae ar y Juno *gyda rhagor o fwyd* . . .

Plîs Dduw.

. . . offer adeiladu . . .

Sut ydw i am egluro'r lladrad wrth Lewis?

. . . ac anifeiliaid.

Dim ond chwarter y defaid sy'n weddill, er mawr siom i Arturo a'i goelcerth.

Fe gymraf arnaf yn awr, annwyl rieni, eich bod â diddordeb yn fy anturiaethau wrth derfynu'r llythyr hwn gyda'r addewid o ysgrifennu atoch yn fuan.

Os byddaf byw.

Cofiwch fi at fy nhad,

Yn wladgarol,

Y Bonwr Edwin Cynrig Roberts.

Pennod 13

Pwy bynnag a glyw ar ei galon ddod i roddi tro i wlad yr
Argentin, gofaled chwilio am wraig o Gymraes, a honno
yn gallu trin llaeth ac ymenyn a chaws; byddai oreu hefyd
pe baent yn gantoresau, dyna y merched sydd oreu yma, y
mae gan drigolion y wlad yma feddwl mawr o bawb a fedr
ganu.

Anturiaethau Cymro yn Neheubarth America,
Thomas Richard Jones

A Mispa; oblegid efe a ddywedodd, 'Gwylied yr Arglwydd
rhyngof fi a thithau, pan fôm ni bob un o olwg ein gilydd.'

Genesis, pennod 31, adnod 49

Roedd bore'r 28ain o Fehefin yn fore pwysig iawn. Gwir
fod y *Mimosa* wedi croesi'r cyhydedd y bore hwnnw a
bod bechgyn ifanc y fintai wedi syllu'n eiddgar tua'r
gorwel am oriau yn eiddgar i ganfod y *line* chwedlonol a
rannai'r byd yn ddau, er mawr bleser i griw gwybodus y
llong. Gwir hefyd i blant hynaf Betsan gael eu swyno gan
y pysgod dieithr a hedfanai'n lledrithiol o don i don, ac i
blant y fintai oll ryfeddu at yr aderyn enfawr a elwid yn
Albatross gan y mêt cyntaf, gan ddawnsio'n ddathliadol o
dan y patrymau cysgodol a grëid gan adenydd y cawr o
aderyn. Gwir hefyd i Wynne Jones o Aberdâr roi broets
arian flodeuog i Sioned o Rosllannerchrugog y bore

hwnnw yn arwydd o'i gariad cyn mofyn ei phriodi (wedi peth perswâd gan y Parch. Arnallt Morgan ar ôl iddo eu dal yn caru'n hanner noeth yn nhywyllwch y dec). Ond i Jane roedd bore'r 28ain o Fehefin yn fore pwysig am resymau gwahanol iawn. Dyma'r bore y dechreuodd waedu ac y bu iddi deimlo'n sicr ei bod am farw.

Dechreuodd y poenau am oddeutu pump o'r gloch y bore. Deffrodd Jane ym mhwll ei chwys ei hun a'r awyr o'i chwmpas yn dew gan oglau sur y cyrff a gysgai o'i chwmpas. Rhwbiodd Jane ei chefn yn galed mewn ymdrech ofer i leddfu'r clais a ymgripiai ei ffordd hyd ei hesgyrn. Cododd ar ei heistedd, a dyna pryd y teimlodd y cur eithaf yn tolcio'n galed yng nghrombil ei stumog. Am ennyd meddyliodd mai o'i choluddion y daethai'r boen. Doedd ei deiet dyddiol o benwaig wedi'u piclo a chig eidion wedi'i halltu ddim yn cytuno â hi, ac ni allai gofio pryd y cawsai ymweliad llwyddiannus â'r geudy. Wrth gwrs, nid oedd o help yn y byd mai pwced mewn man lled gyhoeddus yng nghefn y chwarteri cysgu oedd y geudy dros dro, a bu Jane am ddyddiau'n ceisio hyfforddi'i choluddion i beidio â bod eisio gwagio tan yr oedd pawb o dan y dec yn cysgu ac y câi beth preifatrwydd wrth berfformio'r ddefod, diolch i dywyllwch y nos. Blysiai Jane yn aml am dafell o dorth ffres a chaws, gwydraid o lefrith a llwyaid o hufen newydd ei gorddi. Wrth gwrs, doedd dim gobaith iddi gael wy ffres gan ei hiâr hynafol, a bu ei newyn yn ddigon i beri i'r syniad o'i phluo a'i ffrio ddod â dŵr i'w dannedd. Roedd yr iâr yn dal yn fyw, hyd yma, a daeth ail gnoad o boen i darfu ar freuddwydion archwaethus Jane am fwyd.

Wedi edrych o'i chwmpas a'i bodloni ei hun bod pawb yn cysgu, cododd Jane o'i bync gan gychwyn ar flaenau ei thraed tua'r geudy. Er gwaethaf ei phoenau, llwyddodd i gripian dros y llawr llaith yn eithaf heb ddeffro'r un enaid. Ond, ar hynny, clywodd sŵn crafu wrth droed y fainc bren wrth ei hyml a safodd yn stond. Roedd yn gas ganddi lygod. Gallai ddioddef rhai bach, er gwaethaf eu sgrialu a godai groen gŵydd arni, a gwyddai o'r tripiau wythnosol a ganiateid gan y Capten i'w cistiau yn yr howld fod y llong yn bla o lygod bach. Ceisiodd Jane ei darbwyllo'i hun nad oedd achos iddi bryderu. Onid oedd Ruth wedi ei sicrhau ar fwy nag un achlysur nad oedd llygod bach a llygod mawr yn cyd-fyw gyda'i gilydd? Doedd bosib felly, o gredu theori ddigon amwys ei hen forwyn, mai llygoden fawr oedd bellach yn cosi'i thraed â'i blew bach? Edrychodd Jane tua'i thraed a chlywodd guriadau ei chalon yn cyflymu yn ei chlustiau. Rhoddodd sgrech aflafar nad oedd hi ei hun yn credu ei bod yn alluog i'w seinio. Deffrowyd pawb yn yr ystafell, a dechreuodd yr holl fabanod ymuno yn y sgrechian.

Yn y tywyllwch ni sylwodd neb ar Alice, a oedd eisoes ar ei chwrcwd uwch y bwced garthion, yn disgyn ar ei phedwar, gan fynd â'r bwced a'i chynnwys i'r llawr gyda hi. Ni welodd neb Marie yn gwisgo'n frysiog wedi iddi fod yn gorwedd yn noeth drwy'r nos yn mwytho'r lwmpyn yn ei stumog a fu'n ei chadw'n effro â'i wingo parhus. Ni welodd neb Mary yn disgyn yn fodlon o fync Betsan ei mam i fync Jane ei harwres gan ei lapio'i hun ym mrodwaith ei chynfasau. Bryd hynny y sylwodd Mary ar y gwlybaniaeth dieithr yng ngwely Jane. Nid oedd o'n chwys nac yn biso; roedd hi wedi hen arfer â drewdod y rheiny, diolch i arferion brwnt ei brodyr bach. Na, roedd y gwlybaniaeth yn fwy trwchus na hynny, ac o archwilio'r darn gwlyb fe suddodd calon Mary fach. Nid oedd ei harwres yn anffaeledig wedi'r cyfan.

'Ma' Jane wedi baeddu'i hun! Ma' hi 'di cachu yn 'i gwely!'

'Mary!'

Ond ni chafodd dwrdio Betsan fawr o effaith ar ei merch. Yn hytrach, disgynnodd plant hynaf Betsan o'r bync gan agosáu at wely Jane i gael cipolwg ar y rhyfeddod. Merch gweinidog, yn ei hoed a'i hamser, yn baeddu'i hun!

Gwridodd Jane hyd at ei chlustiau. Trodd i archwilio cefn ei phais a chadarnhawyd ei hofnau pan welodd staen tywyll yn syllu'n ôl yn gyhuddgar arni.

Sgrialodd Alice ar ei thraed gan roi cic i'r bwced garthion yn ei gwylltineb. Gafaelodd yn ei lamp a'i chynnau cyn brasgamu tuag at Jane a oedd bellach yn igian crio.

'Gad i mi gael gweld!'

Trodd Jane ei chefn yn araf i ddangos y staen euog ar ei phais.

'Lle mae dy gadachau di?'

'Cadachau?' holodd Jane yn ofnus.

'Dy gadachau di! I atal y gwaedu!'

'Y gwaedu?'

Fe laciodd y cerydd yn llais Alice rywfaint yn wyneb diniweidrwydd Jane. Ailswatiodd nifer o'r merched dan eu cynfasau gan geisio suo'u plant yn ôl i gysgu ar ôl clywed achos (digon siomedig) y sdyrbans.

'Wyt ti 'di gwaedu fel hyn o'r blaen?' holodd Alice.

'Dwi'n gwaedu? Ydw i'n sâl? Ydw i am farw?' sibrydodd Jane mewn gwichiadau o banig.

Chwarddodd Alice yn isel cyn mynd ati i dynnu'r cynfasau budron oddi ar fync Jane.

'Mi fydd heddiw'n ddiwrnod go brysur o olchi i chdi, 'ngenath i!' ychwanegodd Alice yn ysgafn.

Ond ni ddeallai Jane pam nad aethai Alice i mofyn y doctor. Roedd y poenau llosgi yng nghrombil ei stumog yn cynyddu, a theimlai'r gwlybaniaeth cynnes rhwng ei choesau. Doedd bosib fod Alice yn ei chasáu i'r fath raddau fel y byddai'n ei gadael i waedu i farwolaeth? Deallodd Betsan yr ofn yn llygaid ei chyfeilles ifanc, ac wedi iddi lwyddo i gasglu'i phlant ynghyd a'u siarsio i aros yn eu bync, cerddodd tuag at Jane a gafael yn ei llaw.

'Wt ti'n gyfarwydd â melltith Efa?' sibrydodd Betsan.

'"Dywedodd wrth y wraig: byddaf yn amlhau yn ddirfawr dy boen a'th wewyr. Mewn poen y byddi'n geni plant",' adroddodd Jane yn frysiog o dan ei gwynt. Nodiodd Betsan ei phen. 'Fel rhan o'r felltith mae merched i gyd yn gwaedu fel hyn unwaith y mis.'

Ai tric oedd y cyfan? A oedd Betsan yn elyn iddi'n ogystal, yn mwynhau'r cellwair ac yn ysu am ei gweld yn crebachu'n farw wrth i'w gwaed i gyd lifo allan o'i chorff?

'Wir i ti nawr,' sibrydodd Betsan drachefn.

Cyferbynnai sŵn Alice yn rhwygo un o gynfasau gwely Jane yn stribedi â chysur llais Betsan yng nghlust Jane.

'Paid â syllu'n gegagorad arna i 'ogan! Tynna dy beisia amdanat yn o handi rŵan.'

Nid oedd yr un enaid byw wedi gweld corff Jane er

150

pan oedd yn blentyn. Yn ôl yng Ngheidio câi Ruth ei pherswadio gan Jane i gau ei llygaid pan roddai fàth iddi yn y twbyn pren o flaen y tân. Teimlai Jane ryw ysictod yn ymgripio drwyddi wrth iddi deimlo dwylo Alice a Betsan yn tynnu'r peisiau oddi amdani. Caeodd ei llygaid. Ni hoffai edrychiad ei chorff ei hun, ac nid oedd am weld ymateb y ddwy ddieithr i'w ffurf gyfoglyd. Yn sydyn teimlodd rywun yn rhwbio'n galed rhwng ei choesau â darn toredig o'i chynfas wely. Yna, teimlodd ei hun yn cael ei rhwymo â darn arall o'r gynfas gyda'r defnydd yn gwasgu'n dynn amdani.

''Sgin ti wisg sbâr?'

Roedd ganddi goban newydd wedi'i brodio'n arbennig gan Ruth ar gyfer y daith, ond ni hoffai ei gwisgo gan y byddai'n ymddangos yn ordrwsiadus yng nghanol merched tlawd y fintai a wisgai'r un wisg o fore gwyn tan nos. Ond doedd fawr o ddewis ganddi'n awr.

'Gin i goban yn y bag carpad 'na o dan fy mync,' sibrydodd Jane.

'Dow! Dyma i chi *nightgown* smart!' gwaeddodd Alice wrth ddal y goban yn sioe o'i blaen, ond ni lwyddodd Jane i glywed unrhyw falais yn ei llais.

Llithrodd defnydd llugoer y goban yn ysgafn dros groen Jane wrth iddi ei rhoi amdani; tynnodd Betsan ei gwallt o'i gribau a rhedeg ei bysedd drwy'r clymau.

'Ti'n ferch fawr bert yn awr, on'd yw hi, Alice?'

Rhoddodd Alice hanner gwên cyn dychwelyd i chwys ei bync.

'Cer dithe i geisio cael awren fach o gwsg cyn brecwast,' ychwanegodd Betsan a cherddodd Jane yn grynedig tuag at ei bync.

Gorweddodd Jane ar ei hochor yn ei bync digynfas a chodi'i phengliniau o dan ei gên mewn ymdrech ofer i leddfu'r boen y tu mewn iddi. Er gwaethaf geiriau Betsan, dechreuodd y dagrau hallt ddisgyn o lygaid Jane. Teimlai'n fudur. Yn fwy na dim, teimlai'n fethedig. Er na ddeallai pam yn iawn, fe wyddai nad plentyn mohoni bellach. Gwyddai na fyddai'n Jane fach ei thad am fawr hirach. Serch hynny, ni ddeallai drwy'r dagrau pam yr hiraethai fwyaf yn awr am gael teimlo breichiau ei mam amdani.

*   *   *

'A wnaethoch yr hyn oedd yn deilwng â hi?'

Gwyddai Wynne Jones cyn troi mai Parch. Arnallt Morgan oedd yn taranu y tu ôl iddo. Nid oedd yn or-hoff o'r gweinidog gogleddol. Wedi meddwl, nid oedd yn hoff o sawl gweinidog deheuol ychwaith, ond roedd rhywbeth ynglŷn â natur bwysig y gweinidog yma a grafai'n ddyddiol ar ei nerfau.

'A dderbyniodd y ferch landeg eich cais?'

Merch landeg? Oedd Sioned yn ferch landeg? Gwir iddi adael iddo fynd o dan ei pheisiau crinoline wedi ychydig ddiwrnodau'n unig o'i adnabod. Ond dyna a hoffai Wynne amdani. Ar y tu allan roedd Sioned yn ferch dduwiol a difrifol, yn ferch wedi ymroi ei bywyd ei hun i ddilyn a chanu gorfoledd gair Duw. Ond roedd rhyw nwyd gwyllt yn ffrwtian y tu mewn iddi, a hoffai Wynne y syniad mai ef oedd y llanc i ryddhau'r nwyd go wallgo hwnnw. Ac i goroni'r cyfan, onid oedd Sioned wedi'i sicrhau ei bod yn gampwraig ar drin llaeth, menyn a chaws? Beth oedd yn well mewn gwraig na hynny?

'Do. Ma' hi 'di cytuno i 'mhriodi i – hynny yw, os gwnewch chi ein priodi ni, Barchedig?'

Ymgreiniodd Wynne o weld corff y Parch. yn ymchwyddo â balchder o gael gwasanaethu priodas gyntaf y fintai.

'Byddai'n fraint, Mr Jones, eich priodi â Miss . . .?'

Fflamiodd Wynne. Ni wyddai gyfenw ei ddarpar wraig hyd yn oed. Ni wyddai fawr ddim amdani, mewn gwirionedd.

'Wel, Mrs Jones fydd hi cyn pen diwrnod, yntê?' chwarddodd yn nerfus. Ymunodd y Parch. yn ei chwerthin. Y diawl gwirion.

'Yfory amdani felly, Mr Jones?'

'Os bydda i'n fyw ac yn iach, yntê?' chwarddodd Wynne drachefn gan gerdded i ffwrdd oddi wrth y Parch.

Ond wrth gerdded a cheisio crafu'i geilliau chwyddedig yn slei, meddyliodd Wynne am anlwc ei eiriau ei hun. Beth pe bai'r swigod bychain oedd o gwmpas ei daclau'n farwol? Ni allai ddangos y pothellau i'r doctor ifanc. Doedd hwnnw ddim yn edrych yn ddigon hen i gael blew ar ei frest, heb sôn am allu deall mecanwaith pidyn dyn.

*   *   *

'M-i-z-p-a-h,' darllenodd Alice y geiriau arian ar froets newydd Sioned.

'Be 'di hynny – enw'i fam o?'

'Nage siŵr! Cyfeirio at yr adnod brydfertha'n y Beibl mae o!' eglurodd Sioned yn ddiamynedd.

'Duw, deud di,' pwdodd Alice gan roi ei dwylo cochion unwaith eto yn nŵr berw ei golchi.

Anwesai Alice ei broets arian yn araf. Nid oedd

153

ganddi'r un awydd i sgwrio rhyw hen ddillad gwirion. Onid oedd ganddi bethau amgenach ar ei meddwl? Yfory byddai'n wraig briod. A hithau dros ei deg ar hugain, roedd hi wedi rhoi'r ffidil yn y to o ran ceisio dod o hyd i ŵr, ac yn ei galar wedi gwerthu pob crair o'i heiddo i gasglu arian ar gyfer mudo i'r Wladychfa. Treuliodd flynyddoedd poenus o ddigymar yn Rhosllannerchrugog, ac er mawr ddifyrrwch iddi, dyddiau'n unig a gymerodd iddi ddod o hyd i ŵr ar y *Mimosa*.

'Styria, hogan! Pasia'r stôl olchi i mi a dos i ferwi rhagor o ddŵr yn o handi cyn i'r Capten dy weld di. Mae o'n dynn 'tha tin iâr 'fo'i ddŵr,' sibrydodd Alice.

Roedd golygfa'r merched wrth eu gwaith wythnosol yn golchi dillad yn dipyn o ryfeddod. Safent mewn rhes, a phob merch yn plygu uwchben ei thwbyn pren yn sgwrio, sgwrio â'i phen-ôl fry yn yr awyr yn deud helô wrth yr haul. Wrth gerdded tuag at y merched, ni allai Jane ond cymharu'r olygfa â thwlc o foch yn llymeitian yn swnllyd uwchben eu cafnau bwyd.

'Cerwch i orffwys, Marie. Mi gymra i'ch lle chi wrth y twbyn 'ma,' cynigiodd Jane.

Roedd y chwydd ym mol Marie bellach yn amlwg i bawb, ac ni wyddai Jane sut y llwyddai i'w guddio rhag ei gŵr. Wrth gwrs, roedd yn help ei fod o'n rhan o'r criw meddw hwnnw a dreuliai oriau dirifedi, yn ôl y Parch., yn chwarae cardiau yng ngwres tanbaid chwarteri cysgu'r dynion.

Plymiodd Jane ei dwylo i'r dŵr berw gan afael yn y darn sebon bychan a dechrau sgwrio. Wrth blygu uwchben y twbyn rhoddodd ochenaid fach wrth i boen ei melltith danio'n goelcerth y tu mewn iddi.

154

'Buan iawn y doi di i arfar,' gwenodd Marie a oedd bellach yn gorwedd ar y dec â'i llygaid ynghau.

Sylwodd Jane ar y dagrau o chwys a lifai i lawr wyneb ei chyfeilles gan fynd â thalpiau o'i cholur gydag o. Teimlai hithau'r gwres yn dân ar ei chroen yn ogystal, ac er gwaethaf cysgod yr hwyliau uwch ei phen, gwyddai fod ei chroen golau'n llosgi o dan haul creulon y cyhydedd. Nid oedd gan yr un o'r merched mo'r egni yn y fath wres i fynd ati i sgwrio, ond ni wrandawai Alice ar eu cwyno. Roedd angen yr haul i gannu'r dillad a'r cynfasau gwyn ac nid oedd am ganiatáu i'r merched segura ac anwybyddu eu dyletswyddau.

'Chdi! Tyd i glymu rhyw lun o lein ddillad i ni, yn lle sbio arnan ni fyny fan 'na!'

Ar y bachgen llygad gwydr y gwaeddai Alice. Safai yntau uwch eu pennau ar y rigin *on watch;* anghyfrifol iawn, meddyliodd Jane wrthi'i hun, o gofio mai un llygad yn unig oedd ganddo. Disgynnodd y bachgen i'r dec gyda gwên ac aeth dan chwibanu i mofyn darn o raff. Cododd Alice y cynfasau, oedd wedi bod yn socian ers amser, gan eu plymio yn nŵr sebon twbyn Jane. Dechreuodd hithau eu seboni'n ddiog, y gwres yn dwyn pob gronyn o'i hegni, cyn trosglwyddo'r cynfasau i'r twbyn nesaf ati. Edrychodd Jane gydag atgasedd ar y ferch wrth ei hymyl yn cario'r twbyn tua'r *galley*, lle y gwyddai y byddai'n eu rhoi i ferwi gyda chwpanaid o biso sur i'w gwynnu. Diawliai ei hun am beidio â dod â chyflenwad digonol o bowdwr soda ar gyfer y gwaith, ond nid oedd y merched carpiog o'i chwmpas yn gyfarwydd â gwyrthiau gwynnu soda. Ni allent fforddio'r fath foeth.

Yn y pellter llonydd gallai Jane glywed y bechgyn yn ildio i wres y pnawn ac yn plymio i'r dŵr rhyfeddol lonydd. A fyddai ei thad yn mentro eto? Chwarddodd yn isel o gofio penolau Hugh Hughes ac yntau'n diflannu'n binc i'r tonnau islaw.

'Pam na wnewch chi ymuno â'r hwyl?' awgrymodd y bachgen llygad gwydr.

Syllodd Jane arno'n gegagored a rhoi slap go egr iddo ar ochr ei wyneb, er mawr ddifyrrwch i Marie.

'Tynnu dy goes di mae o, siŵr Dduw! Yr hen fursen i ti!'

Ymunodd y merched i gyd yn y chwerthin, a theimlai Jane ei hun yn cochi hyd fôn ei gwallt. Winciodd y bachgen arni cyn mynd ati i glymu lein ddillad wrth dalcen y *galley* gan ei chlymu'n sgwâr â'r prif fast.

'Rhowch lonydd i'r ferch fach! So hi'n ddigon hen i ymuno yn eich sgwrsio anfoesgar,' gwaeddodd Betsan o gysgodion yr hwyl, ond roedd cellwair yn llenwi'i llais.

'Ma' Jane fach ni'n 'ogan fawr rŵan! Diawl, mi fydd 'i thad hi 'di'i phriodi hi ffwr' mewn chwinciad chwannan wedi i ni gyrraedd y Wladychfa. Be am yr hen Hugh Hughes 'na, 'dwch? 'Sgynno fo ddim gwraig, nac oes?' heriodd Alice.

Rhoddodd stumog Jane dro annifyr wrth ddychmygu Hugh Hughes a'i farf laes, ei groen crychiog a'i fachau brwnt, yn ŵr iddi.

'Ych a fi! Dychmyga garu ar y gwely 'fo Hugh Hughes!' ychwanegodd Sioned.

'O be ma' Wynne 'di ddeud wrth Tudur y gŵr, mi fysa'r creadur 'di marw tasa chdi'n cael dy afael arno fo! Un wyllt ar y naw wyt ti, Sioned!' mentrodd Alice.

'Be ma' Wynne 'di ddeud wrtho fo?' cyfarthodd Sioned.

'Dyna ddigon, ferched. Ma'r 'ogan druan yn priodi fory. Peidiwch â difetha petha! Gwaith y gŵr 'di gneud hynny!' ychwanegodd Marie gan wenu.

Gwichiodd y merched yn groch gyda'i gilydd gan atgoffa Jane o'r synau a ddeuai o'u cegin yn ôl yng Ngheidio pan alwai cyfeillion Ruth heibio i flasu'i chwrw cartref fin nos.

'Dyna chi, ferched!'

Torrodd llais y bachgen llygad gwydr ar y clebar. Roedd wedi taenu'r lein ddillad mewn siâp triongl, ac o osod y cynfasau a'r blacedi i sychu arni nid oedd posib gweld y tu mewn i'r triongl.

'Mi gewch chithau ymuno yn yr ymdrochi rŵan!'

Taflodd dwbyn pren dros ochr y llong gan ei lenwi â dŵr môr ac aeth Alice ato i'w helpu i'w dynnu'n ôl â rhaff i'r dec. Cydgariodd y ddau y twbyn i mewn i'r triongl.

'Fydd neb yn gallu'ch gweld chi y tu ôl i'r cynfasa 'na,' a throdd y bachgen ar ei sawdl gan adael y merched yn eu gorfoledd.

Marie a Sioned oedd y rhai cyntaf i ddiosg eu gwisg, ac er i Sioned gadw'i phais isaf amdani taflodd Marie ei dillad i gyd o'r neilltu ac aeth dan chwerthin i ymdrochi gyda'i chyfeilles yn y dŵr llugoer.

'Gwell bod yr hogyn 'na ddim yn sbecian arnon ni,' sibrydodd Alice, ond roedd griddfanau pleserus Marie a Sioned o gael tasgu yn y dŵr oer yn ddigon i foddi'i phryderon a chyn hir roedd y merched a'r plant i gyd yn disgwyl mewn llinell am eu tro i ymdrochi yn y pleser.

Syllai Jane yn genfigennus ar yr olygfa. Er y byddai ganddi gywilydd dadwisgo a dangos ei chorff i'r merched dieithr, ni fyddai unrhyw beth yn well ganddi na chael teimlo'r dŵr yn llifo dros ei chroen. Teimlai fel petai'n boddi yn ei chwys ei hun yn ei ffrog drom, a phwysai gwres yr haul yn dunelli o boen am ei phen. Ond nid oedd posib iddi fynd i ymdrochi o gofio bod y felltith arni. Byddai pawb yn gweld y staeniau ar y cadach oedd yn dynn amdani, a phe bai'n ei dynnu byddai'n dechrau ailwaedu, yr hylif cochfrown yn halogi'r dŵr hallt yn y twbyn. Bryd hynny y daeth yr awydd mwyaf arni i ddisgyn i'r dŵr tywyll islaw. Gadael i'w chorff ddisgyn yn garreg i'r tonnau a diflannu i ddyfnder oer y môr.

Bryd hynny'n ogystal y teimlodd fraich yn cydio'n dynn amdani ac y clywodd lais yn poeri sibrwd 'Mispa' yn ei chlust.

Pennod 14

Wedi fy holl arteithio, teithio a dadlau am Wladychfa i'm cenedl, cael fy nghadw wrth deithio milltiroedd o fôr, glanio yn ddiogel yn y wlad. Wedi dyfod i Patagonia, dyma fy niwedd.

Edwin Cynrig Roberts yn *Yr Hirdaith,*
Elvey MacDonald

'O ddau ddrwg dewiser y lleiaf.'

Dihareb

Y Wladychfa Gymreig,
Patagonia,
25ain o Orffennaf, 1865.

Fy annwyl deulu,

Fy annwyl deulu. Mae'r geiriau mor ddieithr i mi bellach; 'annwyl' a 'theulu'. Pa ots? Rwyf bellach wedi fy mabwysiadu gan y Wladychfa a'r hyn y mae'n sefyll drosto; rhyddid, brawdgarwch a chariad at wlad. Gwn fod fy llythyrau diwethaf atoch wedi bod yn rhai o anobaith a thorcalon, ond meidrolyn ydwyf wedi'r cyfan. Rwy'n ffaeledig ac rwyf wedi wynebu fy ngwendidau fy hun yn feunyddiol ers i mi lanio yn y wlad hon. Mor wan ydyw dyn pan y tynnir popeth oddi wrtho namyn ei feddyliau ei hun. Serch hynny, gyda glaniad y Mimosa ar dir y Wladychfa yn agosáu, y mae rhyw gynnwrf newydd wedi fy meddiannu.

Rwyf wedi disgyn, am yr eildro, mewn cariad
gyda'r Wladychfa megis llanc ifanc yn ystod
dyddiau cynnar carwriaeth ac y mae ing fy
nefosiwn tuag at sicrhau llwyddiant y Wladychfa
bellach wedi erlid pob cysgod o amheuaeth sydd
wedi bod yn cymylu fy meddwl gyhyd.

Ai tröedigaeth o fath yw hyn? Gwn i mi beidio â theimlo presenoldeb Duw ar dir gwyllt y Tehuelche, ond rhaid cofio mai Kooch, Duw yr Indiaid, sy'n teyrnasu ar y tiroedd hyn. A oes modd i'r Arglwydd fy nghyrraedd a'm caru drwy'r barbariaid hyn? A oes modd i mi deimlo'i bresenoldeb, unwaith yn rhagor, yn fy meddyliau? Ynteu ai rhyw 'grefydd' newydd sydd bellach wedi fy meddiannu? Cenedlaetholdeb wedi llyncu pob rhan ohonof a'm serch tuag at fy ngwlad yn gorlenwi fy nghalon? A allaf ruthro'r fath deimladau ynof tuag at unrhyw fod neu gred neu berson arall?

Wrth gwrs y gelli, y ffŵl gwirion, ond dy fod ti'n brwydro yn ei erbyn. Twylla dy hun, Edwin bach. Rwyt ti'n giamstar ar hynny bellach. Twylla dy hun i gredu na allet ti garu'r un enaid i'r un graddau â'r cariad a deimli tuag at y Wladychfa. Tydi môr na phridd na cherrig yn gwmni i'r un dyn yn unigrwydd oer ei wely a chwant am gael teimlo corff wrth ei ymyl yn gyrru tonnau o chwys oer hyd ei gorff. Ond rwyt ti'n gwybod fod y teimladau hyn yn anghywir, yn dwyt Edwin? Yn llygredig ac afiach ac yn bechod, yn ôl dysgeidiaeth y Beibl. Ai dyma'r gwir reswm i ti erlid yr Arglwydd o'th galon, Edwin? Cyfaddefa. Mentra. Dyweda pwy sydd berchen ar dy galon. Sibryda'i enw o'n ddistaw, rhag ofn i'r gweision dy glywed yn eu cwsg. Sibryda L-E-W-I-S . . .

Wedi i'r gweision a minnau gwblhau adeiladu'r
cabanau pren ar gyfer y fintai . . .

Cachwr!

. . . penderfynwyd mai gwell fyddai dechrau ar y
gwaith o agor ffordd bwrpasol i gysylltu'r bae â
Dyffryn Camwy. Mae'r dyffryn oddeutu deugain
milltir o'r bae, ac y mae'n bosib . . .

yn sicr . . .

. . . na fyddwn wedi cwblhau'r ffordd erbyn i'r
Mimosa *lanio.*

Wedi i'r defaid gael eu dwyn, nid oedd Arturo'n fodlon
gweithio. Ni allai weithio heb gael digon o fwyd yn ei
stumog, medda fo, a chan fod Antonio megis cysgod i'w
gyd-wladwr, mi benderfynodd yntau fynd ar streic yn
ogystal. Ni lwyddodd Jerry i'w sbarduno ychwaith, ac mi
wyddwn nad oedd gobaith gen i i'w gorfodi i godi rhaw
bob un i ddechrau ar y gwaith o baratoi'r ffordd. Doedd
dim modd i Jerry a minnau, ar ein pennau'n hunain, godi
ffordd ddeugain milltir o hyd mewn wythnos ac felly
penderfynasom roi'r ffidil yn y to cyn dechrau. Od fel y
mae dyn yn gwanhau wedi wythnosau o waith caled, a
phenderfynolrwydd ei feddwl yn gwanhau dan boenau ei
gorff yn sgil dyddiau lu o gloddio.

Yn ogystal â pharatoi'r ffordd y mae'n hanfodol
ein bod yn paratoi cyflenwad digonol o ddŵr cyn
bod y fintai yn cyrraedd. Y mae'r Mimosa *eisoes*
bythefnos yn hwyr a rhaid cyfaddef fy mod yn
pryderu ynglŷn â sychder y tir yma. Nid yw wedi

glawio ers rhai dyddiau bellach ac y mae'r llyn
bas yn Fali Fawr sy'n dyfrhau'r anifeiliaid . . .

. . . a ninnau, ond bod y syniad o rannu'r dŵr priddlyd â'r
gwartheg esgyrnog a'r ychydig ddefaid yn troi arnaf.

. . . bron â bod wedi sychu. O ganlyniad fe yrrais
Jerry i chwilio am lynnoedd o ddŵr yn y paith.
Mae Lewis . . .

L-E-W-I-S

. . . a minnau wedi cael ein sicrhau sawl tro bod
digonedd o ddŵr ar gael ond i ni geisio amdano.

Onid yw'n od felly nad ydym wedi dod o hyd i'r un
diferyn o'r 'dŵr' lledrithiol hwnnw?

Aeth Jerry â'r ferlen ifanc gydag o . . .

. . . a'i goesau druan yn llusgo ar hyd y llawr caregog
wrth i'r ferlen ymdrechu'n galed i arfer â phwysau dieithr
ei gorff. Gyda'i grys wedi'i glymu am ei ganol a'r haul
yn sglein ar ei groen tywyll, edrychai fel un o'r Tehuelche
yn teithio tuag at y gorwel. Cefais fy mrawychu a
'nghynhyrfu gan y gymhariaeth.

. . . ac fe'm sicrhaodd na fyddai'n dychwelyd cyn
y byddai'n canfod dŵr.

Rywfodd mi feddyliais na fyddwn yn ei weld eto.

Rhoddais orchymyn i'r gweision ddechrau tyllu
am ffynnon gan ddilyn cynllun a ddysgodd fy
nhad i mi pan y bu raid i'r ddau ohonom
drwsio'r ffynnon fach wrth y tŷ ers talwm.

Minnau'n un ar ddeg oed ac yn dal ag ofn y tywyllwch, a 'nhad yn fy ngadael gyda'r sliwod yn nüwch y ffynnon am y prynhawn mewn ymdrech i wneud dyn ohonof. Mi fues i'n gwlychu'r gwely am gyfnod hir wedyn gan roi'r bai, yn gyfleus iawn, ar Margiad fy chwaer fach.

Dysgais y gweision i dyllu bob yn ail, ac wedi i'r twll ddyfnhau dangosais i un o'r gweision sut i sefyll wrth y lan ac i godi'r pridd â bwced a rhaff tra bo'r llall yn dal i dyllu.

Gwir i mi ddangos i Arturo ac Antonio sut i gloddio drwy weiddi arnynt yn yr ychydig Sbaeneg a wyddwn ac i'r ddau fwrw i'r gwaith heb fawr o gŵyn, ond fe wyddai'r ddau pa mor brin oedd ein cyflenwad o ddŵr. Nid oedd y ddau am farw o sychder ac rwy'n siŵr i'r syniad hwnnw'n unig eu sbarduno i godi'n sobor y bore hwnnw (roedd y gasgen gwrw eisoes yn wag) ac i ddechrau ar y gwaith tyllu.

Er mawr ryddhad i mi fe gwblhawyd y ffynnon ymhen tridiau, ac ar y trydydd dydd fe ddychwelodd Jerry o'r paith gyda'r newyddion da ei fod wedi canfod llynnoedd o ddŵr croyw ar ei daith. Rhaid cyfaddef mai'r cwpled yma o lwc dda roddodd gorcyn ym mhotel anobaith ac a aildaniodd fy hyder a 'nghred yn y Wladychfa.

Dwi'n ymdrechu'n galed, ceisio 'ngorau glas i nodi'r gwir, ond mae'r hen bìn 'sgrifennu 'ma'n sensro fy ngeiriau heb fy nghymorth i. Ai cywilydd sydd arna i? Efallai, ond diawl, does 'na'r un enaid byw am ddarllen fy ngeiriau. 'Sgrifenna'r gwir, Edwin. Crafa'r wyneb a sonia sut y bu bron i ti gael dy ladd a sut y bu i ti wynebu dy farwolaeth dy hun gyda'r fath ofn sy'n parhau'n gysgod bygythiol dros dy fywyd di.

> Serch hynny, cyn i'r ffynnon gael ei chwblhau ~~cafwyd digwyddiad cynhyrfus, damwain erchyll~~, fe geisiodd y gweision fy lladd, a bu iddynt bron â llwyddo oni bai i ryw rym allanol yrru angel i'm hachub.
>
> Am brynhawn bu Arturo ac Antonio'n cloddio'r ffynnon yn ddiwyd. Ni wyddwn cyn hynny fod y ddau'n gallu bod mor weithgar. Er hynny, erbyn y diwrnod canlynol roedd y ddau wedi dychwelyd i'w hystâd segur a chymerasant drwy'r bore i dyllu ychydig fodfeddi'n unig. Fe'm cythruddwyd gan eu diogi ac fe'm gyrrwyd gan fy syched i gymryd lle Antonio yn y ffynnon a dechrau cloddio'n wyllt. Erbyn y prynhawn roeddwn wedi tyllu i ddyfnderoedd tywyll a dechreuodd yr awyr o'm cwmpas deimlo'n oer. Edrychai'r awyr megis ploryn llwyd bychan uwch fy mhen, a bryd hynny y gafaelodd ofn yn dynn amdanaf a theimlwn fel pe bawn unwaith eto, yn un ar ddeg oed gyda'r sliwod yn llithro dros fy nhraed i gyfeiliant chwerthin fy nhad.
>
> 'Cuerda!'
>
> Ond ni ollyngwyd y rhaff gan Arturo nac Antonio.
>
> 'Cuerda por favor! Ahora!'
>
> Dechreuodd y waliau pridd fy mygu a theimlais y chwys o banig yn llifo'n binnau oer i lawr fy nghefn.
>
> 'Arturo! Antonio!'

164

*Arhosais. Arhosais am beth amser gyda
'ngolwg wedi'i lynu wrth y ploryn o awyr uwch
fy mhen, yn dilyn brys y cymylau du hyd nes y
gwelais i ambell seren yn wincian yn faleisus
arnaf. Roedd y ddau was wedi ffoi gan fy ngadael
yng ngenau'r ffynnon i farw. Wrth gwrs, ni
wyddwn i hynny ar y pryd. Mi obeithiais mai
ceisio dysgu gwers i mi yr oedd y gweision gan fy
ngadael am noson yn y twll. Tynnais fy nillad yn
dynn amdanaf gan fy ngwneud fy hun yn belen
fechan mewn ymdrech i gadw'n gynnes. Cyfrais y
sêr yn rhythmig drwy'r nos i geisio tawelu'r ofn y
tu mewn i mi, a phan welais felyn a choch ac
oren y wawr uwch fy mhen mi feddyliais yn siŵr
y byddai'r gweision yn dychwelyd gyda hyn i'm
mofyn. Arhosais drwy'r bore, yn ceisio
anwybyddu fy mol yn chwyrnu o newyn. Arhosais
drwy'r prynhawn, yn llymeitian fy mhoer fy hun
mewn ymdrech i dorri fy syched. Arhosais yn
ddiwyd a distaw hyd nes y gwelais yr awyr yn
tywyllu uwch fy mhen ac y dychwelodd y sêr i
ddwyn malais. Bryd hynny y llyncais y syniad fy
mod am farw, ac wrth i mi blygu ar fy nghwrcwd
i ollwng cynnwys fy ngholuddion yn un swp
hylifol o ofn mi ddechreuais chwerthin.*

*Yn nrewdod tywyll y twll fe sylweddolais mai
cosb oedd hyn am y cyfan. Cosb gan Kooch?
Cosb gan Dduw? Cosb gan Gymru? Roeddwn
wedi bradychu'r tri mewn difrif wrth geisio dofi
tir gwyllt Patagonia mewn ymdrech i sefydlu'r
Wladychfa. Yn dwyn tir y Tehuelche oddi wrthynt
ac wedi erlid Duw o'm calon. Yn waeth na dim
roeddwn yn amddifadu Cymru o'i gwerin bobl ac*

165

yn rhoi rhwydd hynt i'r Eglwys a'r Arglwyddi
deyrnasu'r wlad fel y mynnent. Ai gwell fyddai
petawn wedi aros gartref a cheisio trefnu
gwrthryfel? Tollti gwaed am ryddid; onid dyma
achos pob rhyfel mewn difrif?

Gwell angau na chywilydd. Eich geiriau chi,
fy nhad. Ni wyddwn i cyn hynny wir ystyr y
ddihareb. Gwell oedd i mi farw yn oerni'r twll,
twll a dyllais i mi fy hun, na chwalu gobeithion
aelodau'r fintai. Nid gardd Eden mo Patagonia.
Dioddefaint a thlodi sy'n wynebu'r fintai yma; yr
union bethau y bu iddynt ffoi oddi wrthynt yn ôl
yng Nghymru. Gwell oedd angau na byw i brofi
cywilydd yn sgil methiant y Wladychfa.

Bûm am dridiau yn y twll. Tri diwrnod a thair
noson a'r meddyliau hyn yn llygru fy mhen tra
bod fy nghorff yn araf lasu yn yr oerni. Doedd
dim pwrpas gweiddi. Hyd y gwyddwn i roedd
Jerry'n dal ar y paith yn chwilio'n ofer am ddŵr
ac Arturo ac Antonio wedi ffoi. Nid oedd neb
namyn y morloi a fyddai wedi fy nghlywed. Y
morloi a'r Indiaid, ac nid oeddwn am ddenu
sylw'r rheibiaid hynny. Os oeddwn am farw,
gwell oedd gennyf lwgu yn hytrach na chael fy
arteithio i farwolaeth ganddynt.

Erbyn y trydydd dydd roedd newyn wedi gwanhau
fy meddwl. Dychmygais i mi weld Arturo ac
Antonio yn taflu pridd ar fy mhen a mygais wrth
i'r ddaear lenwi fy ngheg a'm ffroenau. Crafai'r
cerrig bychain fy nghroen wrth lanio'n gawodydd
pigog ac aeth popeth yn ddu o 'nghwmpas. Ond
yna, clywais lais mwyn yn galw arnaf:

166

'*Edwin*, aggarrarse a cuerda.'

Ildiais innau i'r llais a chodais fy mreichiau drwy'r pridd gan deimlo'r rhaff yn cosi fy mysedd. Gafaelais yn dynn ynddi gan blethu fy hun yn wan i'r clymau ynddi. Edrychais i fyny gan weld Jerry yn tynnu'n nerthol ar y rhaff. Roeddwn yn cael ail gyfle ar fywyd a meginwyd y mwg tywyll a'm meddiannodd am ddyddiau. Teimlwn yn ysgafn (o gael fy llwgu am amser, mi wn, ond yr oedd y teimlad yn wefreiddiol). Wrth i mi agosáu at geg y ffynnon fe losgai'r golau fy llygaid gwan a theimlai fy nhraed megis plu yn hedfan o danaf. Fe'm llusgwyd i'r wyneb gan freichiau cryfion Jerry, a gwyddwn wrth afael yn dynn ynddo mai dyma'r tro olaf y byddwn yn chwantu am ei gyffyrddiad. Gwyddwn, o gael ail gyfle ar bethau, y byddai'n rhaid i mi ailgyfeirio fy chwant a'm serch tuag at y Wladychfa. Os na fyddai'r duwiau yn caniatáu i mi garu dyn, byddwn yn caru fy ngwlad ac yn buddsoddi fy mlys yn nhir Patagonia.

L-E-W-I-S

Fe'm cariwyd ar gefn Jerry yn ôl i'r gwersyll a ches fy nyfrhau gyda dŵr a gariwyd gan Jerry o lyn a ddarganfuwyd ganddo rai milltiroedd i ffwrdd. Fe'm sicrhaodd fod Arturo ac Antonio dan glo yn un o'r cabanau a'i fod yn rhoi'r fraint o ddewis natur eu cosb i mi. Ni ddymunwn i y fath gyfrifoldeb a ffugiais fy mod wedi blino ac angen cwsg cyn penderfynu ar gosb addas. Cynorthwyodd Jerry fy nghoesau crynedig wrth i

167

mi geisio ymlusgo tuag at y caban lle y gwyddwn i fod baner y Ddraig Goch yn disgwyl amdanaf.

Yn y bore fe ddeffrais i weld Ellen yn anwesu fy wyneb, gyda fy mhen yn pwyso'n gynnes ar chwydd bychan ei bol.

'Mae o'n agor ei lygaid!'

Safai Lewis yng nghysgodion y caban. Edrychais arno, a gwenodd. Edrychais ar Ellen eto gan syllu ar ei stumog. Gwenodd hithau arnaf.

'Mi fydd y bychan yma erbyn 'Dolig.'

Edrychais yn frysiog ar Lewis. Na, nid oedd o'n gwybod am fy noson wallgof yn ôl ym Mhatagones yn caru gyda'i rosyn. Byddai ei lygaid yn ei fradychu ac yn dangos ei gasineb tuag ataf. Gwenai ei lygaid arnaf a gwenais innau'n ôl arno.

'Mae'n wir ddrwg gennyf dy adael gyhyd gyda'r gweision erchyll yma, ond fel y gweli roedd yn bwysig aros hyd nes bod iechyd Ellen yn ddigon cryf cyn mentro'n ôl yma,' eglurodd Lewis.

'Doedd y doctor ddim am i mi ddod yma o gwbwl! Deud ein bod ni'n hollol wallgof yn ceisio dofi a thrigo ym Mhatagonia!' chwarddodd Ellen.

Llwyddodd ei diniweidrwydd i doddi peth o'r casineb a deimlwn tuag ati. Mae'n debyg mai'r un hyder sy'n addurno meddyliau aelodau'r fintai oll ynglŷn â mudo yma. Rhaid i mi aildanio'r un hyder ynof innau. Wedi'r cyfan, y Wladychfa yw fy mywyd, ac nid methiant mo fy mywyd i.

168

'Mae Jerry'n awyddus i gosbi'r gweision eraill. Mae o'n awgrymu y byddai'n addas pe byddem yn eu dienyddio,' ychwanegodd Lewis.

'Eu lladd?' holais.

Nid ar chwarae bach y mae darfod bywyd dyn. Fe wyddwn i wedi'r tridiau yn y ffynnon pa mor gryf yw'r reddf ddynol i oroesi. Dysgais bwysigrwydd byw.

'Na. Nid wyf am eu gweld yn cael eu lladd. Gwell fyddai eu cadw dan glo megis carcharorion yma ac yna eu trosglwyddo i awdurdodau Patagones i wneud beth a feddyliant sy'n gyfiawn.'

Anodd oedd gennyf gredu mai myfi oedd piau'r llais cadarn yn adrodd y fath gyfarwyddyd.

'Go dda, Edwin. O'n i'n gobeithio mai dyna y byddet yn ei argymell. Y gwir amdani ydi fod gen i weision newydd o Batagones i'n cynorthwyo â'r gwaith paratoi ac nid ydw i am eu dychryn a'u sbarduno i godi yn ein herbyn mewn gwrthryfel o weld dau o'u cyd-wladwyr yn cael eu dienyddio gennym.'

Ni ddeallai Lewis y rhesymau y tu cefn i'm penderfyniad. Ni ddeallai Lewis nifer o bethau.

'Rhaid sefydlu rheolaeth bendant dros y gweision hyn. Gwell fyddai i mi ddwysáu'r hyfforddiant milwrol a roddaf i'r gweision. Nid wyf am gael fy ngadael i farw mewn ffynnon am yr eildro!'

Chwarddodd Ellen yn ysgafn a chododd i gymryd ei lle wrth ymyl ei gŵr. Er i mi geisio gwneud hynny o arferiad, ni theimlais yn annifyr.

169

A dyma ddiwedd fy hanes. Ni thybiaf y bydd amser gennyf i godi fy ysgrifbin cyn i'r fintai gyrraedd ar y Mimosa *ac nid wyf am barhau â'r llythyrau wedi hynny. Nid wyf am wneud cysylltiad rhwng fy nyddiau tywyll yn paratoi'r Wladychfa gyda dyddiau cynhyrfus sefydlu'r Wladychfa wedi glaniad y fintai. Nid wyf am halogi'r dyddiau hynny. Rhaid i mi adael yr atgofion o anobaith gyda'r dŵr yn y ffynnon ac edrych ymlaen. Dyna'n unig all dyn ei wneud pan fo'r byd a'i bethau yn ei erbyn; gobeithio ac edrych tua'r dyfodol.*

Gwnewch beth a fynnwch â'r llythyrau hyn. Byddwn i'n hynod ddiolchgar pe baech yn eu llosgi. Nid oes gair a sgrifennwyd gennyf yn haeddu ei gadw na'i drysori.

Gobeithiaf eich bod mewn iechyd lled dda a gyrraf fy nymuniadau gorau atoch. Gwnewch beth a fynnoch o'r geiriau hynny'n ogystal.

Cofiwch fi at fy nhad,

Yn wladgarol ac yn obeithiol,

Y Bonwr Edwin Cynrig Roberts.

Pennod 15

Boreu poeth iawn. Bu helynt enbyd heddyw ynghylch tori gwallt y merched ieuaingc. Rhoddodd y Capden orchymyn allan i'r dyben hyny, yr hyn a gyffrodd y Fintai yn fawr bron i gyd.

Dyddiadur Mimosa, Joseph Seth Jones

'Never grow a wishbone, daughter, where your backbone ought to be.'

Clementine Paddleford

Gafaelai'r bysedd yn dynn am freichiau Jane gan adael marciau coch, poenus ar ei chroen.

'Mispa,' sibrydodd y llais yn ei chlust a theimlai Jane ei chyfog yn codi'n dân yn ei gwddf wrth i'w chorff gael ei iro'n boeth gan chwys y llanc a afaelai ynddi.

Fe wyddai beth oedd angen iddi ei wneud. Roedd hi wedi cael sawl ymarfer gydag Elis Plas yn y fynwent pan neidiai'n feddw arni yn nhywyllwch y nos. Cododd Jane ei sawdl a chyda'i holl nerth plannodd gic rhwng coesau'r llanc. Clywodd glec fach a sŵn rholio, a sylwodd ar lygad gwydr yn hedfan heibio iddi hyd wyneb tolciog y dec.

'Dalia fo!' gwaeddodd y llanc a oedd bellach ar ei bedwar ar y dec yn rhwbio'i geilliau'n ffyrnig.

Ni wyddai Jane yn iawn pam iddi ildio i orchymyn y llanc, ond cododd ei sgerti serch hynny gan redeg ar ôl y

171

llygad megis ci'n hela cwningen. Rhedodd heibio'r merched oedd yn ymdrochi y tu ôl i'r cynfasau. Rhedodd heibio i'r *galley* a'r *gig*, y *deck winch* a'r *hatch* flaen. Rhoddodd y llygad naid annisgwyl i'r chwith wrth redeg yn erbyn cainc egr ym mhlanciau'r dec gan sboncio i gyfeiriad cawell ei hiâr. Rhoddodd hithau sgrech aflafar o weld y sffêr dieithr yn saethu tuag ati gan aflonyddu ar yr ychydig blu cringoch a oedd ganddi'n weddill. Deffrodd y mochyn (roedd y llall eisoes wedi ei ladd a'i halltu) o'i bendwmpian o glywed y sdyrbans gan ddrysu'r iâr fach ymhellach gyda'i wichian. Doedd dim dewis gan Jane; rhaid oedd iddi roi naid i achub ei hiâr. Llamodd gyda'i llygaid ynghau i gyfeiriad yr anifeiliaid gan ddal ei dwylo fry i ddal y farblen anystywallt. Syrthiodd gyda slap ar y dec caled gan frathu ar ei gwefus wrth lanio. Er mawr syndod iddi, daliodd y llygad gwydr yn oer yn ei dwylo a theimlodd yn sâl o weld cannwyll y llygad yn syllu'n sglein yn ôl arni. Gwgodd ar ei hiâr a oedd yn dal i sgrechian yn ei chawell. Byddai'n dda gan Jane pe bai'r pentwr chwain honno'n rhoi rhyw arwydd o ddiolchgarwch iddi am achub ei bywyd.

Safodd ar ei thraed gan sychu'r smotiau gwaed ar ei gwefus â'i llawes. Roedd y bachgen eisoes yn cerdded yn gloff tuag ati a thaflodd ei lygad tuag ato.

'Hwda'r diawl!'

Daliodd y llanc ei lygad, a'i gwlychu â'i dafod cyn ei lithro'n ôl i'w soced. Ni allai Jane edrych arno.

'Mi frifis di fi,' mentrodd y bachgen.

'Mi ddychrynis di fi! Be oeddach di'n neud yn gafael yno' i fel 'na?'

'Dy geisio di o'n i,' sibrydodd.

'Be?'

'Trio dy geisio di o'n i,' ailadroddodd y llanc yn uchel, 'a finna'n gwrando ar gyngor y ffŵl Wynne Jones 'na. Fynta'n deud 'ych bod chi ferched sych-dduwiol yn gwirioni 'fo adnoda bach rhamantus, a taswn i'n sibrwd y gair "Mispa" yn dy glust di y basat ti'n toddi yn fy mreichia i.'

Chwarddodd Jane yn uchel. Ni wyddai'n iawn a oedd hynny am iddo ei galw'n sych-dduwiol, ynteu am iddo ei cheisio.

'Mae gan Wynne Jones a chditha ddipyn i ddysgu am galonnau merched felly, 'toes!'

'Gin titha ddipyn i ddysgu am ddynion 'fyd. Chei di fyth ŵr a chditha mor wyllt 'fo dy sodlau.'

'Dwi'm isio gŵr,' ychwanegodd Jane yn hy gan eistedd ar y grisiau wrth yr ystordy dŵr.

'Na finna isio gwraig chwaith,' ategodd y llanc gan eistedd wrth ei hymyl ar y grisiau.

Eisteddodd y ddau'n fud ar y grisiau am beth amser, gan wrando ar y gwŷr yn ymdrochi yn y môr ac ar regfeydd cyfarwydd y criw; ar y merched yn casglu'r blancedi a'r cynfasau oddi ar y lein dan glebar a dwrdio'u plant yng ngwres y pnawn, ac ar y *Mimosa* a'i chorff blinedig o bren a haearn yn griddfan yn dawel wrth iddi gael ei llosgi gan belydrau'r haul. Yn y gwres fe swniai ac fe edrychai popeth megis breuddwyd.

'Wyddost di mai *tea clipper* 'di'r *Mimosa* 'ma? Ma hi 'di hwylio ddegau o weithiau i Tsieina ac yn ôl yn cario tunelli o de i'r boneddigion yn Llundain,' eglurodd y llanc.

Fe wyddai Jane i'r llanc adrodd yr hanes mewn

ymdrech i greu argraff arni, ond y gwir amdani oedd ei bod eisoes wedi dod i'r casgliad fod y *Mimosa* wedi dioddef sawl mordaith dymhestlog. Onid oedd y llong megis hen ferch bren, ei chrychau a'i tholciau'n brawf i'r byd o'i bywyd caled?

'Ti 'di gweld Tsieinî 'rioed? 'Di o'n wir bod 'u crwyn nhw'n felyn?' holodd Jane.

Gwenodd y llanc arni gan godi ar ei draed.

'Wel?' gwaeddodd Jane arno. Roedd yn gas ganddi fechgyn hy.

'Mi fydd raid i chdi ddod i Tseinia 'fo fi ryw ddiwrnod i chdi gael gweld drosda chdi dy hun!' mentrodd y llanc gan redeg i gyfeiriad y *galley* i barhau â'i ddyletswyddau glanhau.

Diawliodd Jane y bachgen dan ei gwynt wrth iddi godi ar ei thraed. Suddodd ei chalon o edrych ar y gris y bu'n eistedd arno gan weld ynys fach berffaith o'i gwaed arno. Teimlodd gefn ei sgert gan deimlo'i gwlybaniaeth ei hun â'i llaw. Rhegodd ei rhyw.

*   *   *

Tipyn o siom oedd y seremoni briodas i'r Parch. Arnallt Morgan. Rhaid oedd iddo gyfaddef ei fod wedi edrych ymlaen yn arw at wasanaethu'r uniad. Dim ond mewn pedair priodas yn unig y gwasanaethodd yn ystod ei gyfnod ym mhlwyf Ceidio; cyfanswm a wrthgyferbynnai'n fawr â'r nifer o angladdau a gynhelid yng Nghapel Peniel bob mis, bron. Er na phrofodd y Parch. fywyd priodasol hapus ei hun, fe deimlai'i galon yn ysgafn pan ddyfynnai o Lyfr y Corinthiaid ar ddechrau'r gwasanaeth.

Y mae cariad yn hirymarhous. Fe wyddai'r Parch. hynny o'r diwrnod y gafaelodd yn ei annwyl Jane fach yn faban yn ei freichiau. Nid yw cariad yn cenfigennu, nid yw'n ymffrostio, nid yw'n ymchwyddo. Nid yw'n gwneud dim sy'n anweddus, nid yw'n ceisio ei ddibenion ei hun, nid yw'n gwylltio. Na, nid yw cariad yn gwylltio. Nid yw i fod i wylltio fel y gwnaeth ei wraig yn ei galar, gan ei erlid o'i chalon. Nid yw'n cadw cyfrif o gam; nid yw'n cael llawenydd mewn anghyfiawnder, ond y mae'n cydlawenhau â'r gwirionedd. Y mae'n goddef i'r eithaf. Fel y dioddefodd y Parch. i'r eithaf. Y mae'n credu i'r eithaf, fel y credai'r Parch. Y mae'n gobeithio i'r eithaf, fel y gobeithiai'r Parch. i'r eithaf. Y mae'n dal ati i'r eithaf. Dal ati. Dyna ddychmygai'r Parch. fyddai'n epitaff ar ei garreg fedd. 'Er Cof am y Parch. Arnallt Morgan. Y ffŵl gwirion a ddaliodd ati, heb wobr, i'r eithaf.'

Ond fe roddodd y Parch. ei ofidiau ei hun o'r neilltu pan adroddodd y geiriau ym mhriodas Wynne a Sioned Jones. Ymgollodd yn eu hystyr gan eu hadrodd, yn ei farn ef, â gwir angerdd. Serch hynny, nid hawdd oedd hel y fintai ynghyd i gymryd rhan yn y seremoni. Anfodlon iawn oedd y Capten i ganiatáu i gynrychiolaeth o'r criw fod yn bresennol yn y gwasanaeth am ei fod yn pryderu'n ddirfawr fod y *Mimosa* wedi cael ei chwythu oddeutu tri chan milltir i'r dwyrain oddi ar ei chwrs. Anfodlon iawn oedd y gwŷr i sefyllian yn yr haul yn ogystal, o gofio bod gêm gardiau go gynhyrfus yn cael ei chynnal o dan y dec. Anfodlon oedd y merched a'r plant i ddioddef yn y fath wres, a bu eu sibrydion o gŵyn yn ddigon i beri i'r Parch. golli ei le yn ystod y gwasanaeth ar sawl achlysur.

Serch hynny, teimlai'r Parch. fod y gŵr a'r wraig

mewn hwyliau rhagorol. Gwir fod Wynne Jones ychydig yn welw drwy gydol y gwasanaeth, ond roedd hi'n hollol naturiol i'r creadur fod yn nerfus. Onid oedd yntau wedi dioddef o'r bib y dydd Gwener uffernol hwnnw cyn ei briodas ei hun?

Cydymdeimlai'r Parch. yn fawr â'r ffaith na chafwyd gwledd briodas wedi'r gwasanaeth. Nid oedd cyflenwad digonol gan y bobl hyn i'w bwydo eu hunain, heb sôn am gyfrannu at wledd. Wrth gwrs, nid oedd yr un o'r fintai wedi cael gwledd ers blynyddoedd lawer, ac roedd y gair yr un mor ddieithr ei ystyr i glustiau'r plant â'r gair Patagonia. Y gwir amdani oedd na wyddai'r Parch. fawr ddim am eu dioddefaint. Gyda rhoddion hael o gigoedd gan deulu (o grafwrs) Glan-rhyd, gardd yn llawn llysiau amryliw, diolch i allu rhyfeddol (a gwrachaidd) Ruth a chytundeb rhent go hael gan y (ffŵl) Love Jones-Parry, roedd y Parch. yn fodlon ei fyd yn ei Dŷ Capel bach twt yng Ngheidio. Ni fu'n dyst i'r creulondeb a brofasai gweddill y fintai; y diweithdra yn Aberpennar a Ffestiniog, y newyn yn Aberdâr a Phenllyn. Chwedlau oedd yr hanesion hyn i glustiau'r Parch. ac ni lwyddodd i ddeall mai'r dioddefaint hwn a ysgogai'r Cymry o'i gwmpas i ddianc i'r Wladychfa. Anodd oedd ganddo gredu na rannai aelodau'r fintai ei resymau ef dros fudo – sef sefydlu Eglwys i'r Annibynwyr ar dir rhydd y Wladychfa gan roi rhyddid ysbrydol i bob aelod o'r fintai i ddilyn y ddysgeidiaeth ymneilltuol.

Wrth gwrs, nid dyma'r unig reswm oedd gan y Parch. dros fudo. Fe adawodd ei Geidio annwyl am y Wladychfa mewn ymdrech i ffoi oddi wrth ysbryd ei wraig a'i dilynai hyd fryniau'r ardal gan ei boenydio'n barhaus. Ni

176

hoffai gydnabod y rheswm hwnnw, ac ni fyddai'n ei rannu ag unrhyw enaid tra byddai byw. Serch hynny, fe synhwyrai fod ei ferch yn lled-amau ei resymau dros fudo, ac ni fyddai'n hir cyn y byddai hithau'n tyfu i'w gasáu – yn union fel y gwnaeth ei wraig.

*   *   *

'Mae'n biti nad ydi hi'n cael treulio noson gyntaf ei phriodas gyda'i phriod,' nododd Betsan.

'Diawl, ma' hi 'di cael sawl noson 'fo'r ffŵl gwirion yn barod gyda'r *sailors* gwyllt 'na i gyd yn sbio arni a gwynt y nos yn llyfu'i thin hi!'

'Alice!' dwrdiodd Betsan, ond gwyddai ei bod wedi agor y ddôr ar gyfer hoff destun sgwrs Alice.

'Ers faint ma nhw 'di bod yn caru'n slei 'rhyd lle 'ma? Ma 'na sôn mai'r Parch. ddaliodd y ddau wrthi ar y dec un noson. *Me thinks 'twas a shotgun wedding,*' sibrydodd Alice, fel 'tai'r ffaith ei bod yn ei ddeud yn Saesneg yn sicrhau na ddeallai neb ond Betsan a hithau yr hyn a olygai. Ond ni ddeallai Betsan air o Saesneg.

'Wir i chdi rŵan! Tudur y gŵr 'udodd 'thai! *He was forced to do what was right by marryin' the girl.*'

Syllai Betsan yn gegagored ar ei chyfeilles. Ni ddeallai air o'r hyn a adroddai Alice wrthi, ond tybiodd mai gwell oedd ymateb yn frwdfrydig i'r hanes oedd yn amlwg o ddiddordeb mawr.

'Mami!'

Adnabu Betsan y sgrech. Ei Mary fach. Cododd o'i lle ar fync Alice gan redeg nerth ei thraed i fyny'r grisiau. Clywai Alice yn straffaglu dan bwysau ei chorff i'w

dilyn, ond nid arhosodd i'w helpu i ddringo'r grisiau. O'i
blaen fe welai ei Mary fach wedi'i chornelu gan forwr tal
â siswrn yn ei law. Er nad oedd Betsan yn ferch dreisgar o
ran natur (roedd hi'n rhy eiddil i wneud niwed i bryfyn)
fe geisiodd neidio am y morwr mewn ymdrech i'w dynnu
i'r llawr, ond ni chafodd ei chorff esgyrnog fawr o effaith
ar safiad y morwr a disgynnodd Betsan fel cadach i'r
llawr. O weld ei chyfeilles ar y llawr, ac o glywed trallod
amlwg Mary fach, fe daflodd Alice ddwrn egr i gyfeiriad
y morwr gan ei daro'n anymwybodol i'r llawr.

Yn y cyfamser roedd nifer helaeth o'r fintai wedi
ymgynnull yn gylch o amgylch y ffrwgwd; rhedodd Mary
i gyfeiriad Jane a safai (yn annifyr braidd) yn ymyl Hugh
Hughes a'r Parch., oedd wedi'i frawychu gan yr olygfa.
Yn ystod ei yrfa fel gweinidog roedd wedi cysuro sawl
gwraig a gawsai ei churo'n gleisiau gan ei gŵr, ond nid
oedd wedi clywed am ferch yn curo dyn o'r blaen.

Cododd Jane Mary yn ei breichiau gan ymgreinio o
glywed y plentyn yn sychu'i thrwyn yn uchel ar ysgwydd
ei ffrog.

'Captain Pepperell's orders!' gwaeddodd Doctor
Green wrth gerdded i gyfeiriad y Cymry. *'To eliminate
head lice, all of the girls' hair is to be cut short!'*

Dechreuodd y fintai gyfan weiddi mewn protest.
Ymunodd y Parch. yn ogystal, er mawr syndod i Jane,
gan iddo bregethu ar sawl achlysur mai gwisg orau merch
yw gwylder. Er yr holl weiddi, ni feddyliai Jane y byddai
torri'i phlethen yn fawr o aberth. Yn wir, o ddychmygu'i
phen yn rhydd ac ysgafn braf heb y dunnell o wallt yn y
gwres llethol, fe gefnogai Jane y syniad i'r carn.
Gosododd Mary ym mreichiau Betsan a oedd bellach yn

sefyll wrth ei hymyl ar ôl methiant ei thacl ar y morwr. Cerddodd i gyfeiriad y stôl a osodwyd ar y dec gan y Doctor gan ddal ei phlethen yn ei llaw er mwyn iddo ei thorri. Gwyddai Jane fod y llanc â'r llygad gwydr yn syllu arni. Cynhyrfodd y weithred y fintai'n waeth, a chyn i'r Doctor gael gafael ar y siswrn roedd Marie wedi llusgo Jane oddi ar y stôl.

'Peidiwch â mentro ildio!' gwaeddodd. 'Y Capten sydd am werthu ein gwallt er mwyn cyfoethogi'i boced ei hun!'

Cafodd Jane ei chario gan y don o gyrff gwyllt oedd yn carlamu i gyfeiriad y bwrdd uchaf i ofyn am eglurhad gan y Capten. Ffrwydrodd hwnnw o'i gaban, wedi'i gythruddo'n lân fod y Cymry'n mentro troedio'n agos i'w ystafelloedd personol ef.

'Back! All of you to turn back! None of you, in any circumstance, is allowed on the upper deck!'

Sylwodd Jane fod y Doctor wedi aros yn ei unfan ac ni fentrodd ddringo'r grisiau i'r dec uchaf er iddo wledda'n nosweithiol gyda'r Capten yn un o'i gabanau personol. Serch hynny, ni lwyddodd gorchymyn y Capten i effeithio ar y Cymry a ddringodd heibio'r Doctor gan dollti'u cynddaredd wrth draed y Capten. O'i safle ar waelod y grisiau gallai Jane weld Hugh Hughes yn arwain y fintai, gyda'i thad yn dynn wrth ei sodlau. Tynnodd y Capten ddryll o'i siaced gan ei anelu at frest Hugh Hughes. Rhewodd y fintai gyfan.

'It's not fair! It's quite barbaric cutting these young girls' hair when there is not one account of head lice on this ship,' sibrydodd Hugh Hughes, wedi'i barlysu gan ofn.

179

'*On this clipper! The* Mimosa *is a clipper!*' ond fe synhwyrai'r Capten nad peth doeth fyddai ceisio egluro'r gwahaniaeth y foment honno.

Edrychodd y Capten o'i gwmpas a bodloni ar y ffaith ei fod wedi codi braw ar y boblach anwar a geisiai ei fygwth. Gwasgodd ei fys ar y gliced, ond cyn i'r dryll saethu ei bowdwr marwol fe anelodd y Capten y dryll i gyfeiriad y môr. Rhoddodd Hugh Hughes ochenaid o ryddhad cyn llewygu i'r llawr. Ar hynny fe lamodd y Parch. tuag at y Capten, ond fe ddaliwyd ei ddyrnau gan y llanc â'r llygad gwydr. Ni wyddai Jane beth a'i synnodd fwyaf – y ffaith i'w thad geisio taro'r Capten, ynteu'r ffaith i'r llanc gwantan yr olwg â'r llygad gwydr fod â'r nerth i atal dyrnau ei thad.

Hawdd fyddai i'r Capten gosbi'r Parch. am ei ymateb treisgar, ond nid oedd yn ddigon gwirion i fentro gwneud hynny. Gwyddai am natur wyllt y Cymry ac fe synhwyrai y byddai carcharu eu gweinidog yn peri iddynt godi mewn gwrthryfel yn ei erbyn.

'*There has been a change of plan!*' gwaeddodd y Capten mewn ymdrech i ailsefydlu'i awdurdod. '*Doctor Green shall examine all of the girls' hair, and if no lice are found they shall be allowed to keep their hair!*' Teimlodd y Capten fod ei gynllun yn fwy na theg. I be oedd y tlodion hyn yn gwneud y fath helynt? Dylent dorri pob blewyn oddi ar eu cyrff pe bai'n gorchymyn hynny.

'*What about the men?*' Alice oedd yn holi'r cwestiwn. '*What is the point of examining the girls' heads if it is the lads who are the ones with lice?*' ychwanegodd.

Synnodd y Capten at eiriau'r ferch eofn a safai'n gawres o'i flaen. Onid oedd synnwyr cyffredin yn dweud

180

mai yn nhroadau'r clymau yng ngwalltiau hir y merched ifanc y llechai'r llau?

'It seems strange to me that you do not inspect these gentlemen's hair and beards. I could easily lose my hand in Mr Hughes's thick crop of a beard! It would be considered a palace by many a louse!' mentrodd Alice.

Rhoddodd Hugh Hughes chwerthiniad bach digon gwan o gôl y Parch. a oedd wedi mynd ato i'w ddeffro o'i lewyg.

'Or is it that you plan to sell the girls' hair? You could get a good price from many a wigmaker back in Liverpool for young girls' hair,' ychwanegodd Marie a oedd bellach wedi gadael ochr ei gŵr ac yn sefyll wrth ymyl ei chyfeilles o flaen y Capten.

Meddyliodd y Capten am ennyd. Nid oedd wedi ystyried gwerthu'r gwallt cyn i'r butain o'i flaen awgrymu hynny. Pe bai'n cymysgu gwallt y llanciau hyn â gwallt y merched ifanc, byddai'n siŵr o gael pris da.

'Fair enough. Doctor Green will inspect all of the emigrants' hair, and if lice are found in any person's hair it shall be shorn off!'

Bodlonodd y fintai ar y cynllun hwnnw a gwenodd y Capten. Hawdd oedd rheoli'r gwylliaid hyn, ac o ystyried yr olwg fudur oedd arnynt roedd yn eithaf sicr y byddai'r rhan fwyaf ohonynt yn foel erbyn diwedd y prynhawn.

Ond er mawr syndod ni ddarganfuwyd yr un lleuen na chwannen na phryfyn yng ngwallt y Cymry (diolch i ŵr Marie a ddaliodd gyllell wrth wddf Doctor Green gan ei berswadio i anwybyddu'r pryfed niferus yn cenhedlu ymysg y blewiach).

'I must comment that these Welsh emigrants take good

care of their hair,' sibrydodd Doctor Green yng nghlust y Capten.

Pwdodd y Capten, gan ddiflannu'n ôl i'w gaban preifat.

*   *   *

Ni allai Jane wrando ar baldaruo'r Cwrdd Gweddi y noson honno. Er y gwyddai i'r fintai ennill rhyw lun o fuddugoliaeth yn erbyn y Capten, ni allai rannu'r gorfoledd a lenwai lais ei thad wrth arwain y cwrdd. Pam yn wir y brwydrodd y fintai'n daer i gadw'u gwalltiau? Synnwyr cyffredin yn wir oedd torri pob blewyn oddi ar eu pennau yn y fath wres. Onid oedd pedair merch a hen lanc wedi llewygu dan belydrau creulon yr haul y diwrnod cynt, eu crwyn yn binc a llosg a'u gwefusau'n bothelli o syched a newyn? Daliodd Jane ei phlethen yn ei llaw gan geisio amcangyfrif ei phwysau. Dau bwys, dau bwys a hanner? Anodd oedd dweud, ond gwyddai y byddai'n teimlo'n sadiach ar ei thraed yn y gwres swyngysglyd pe bai'n cael gwared o'i gwallt.

Seiniodd un o'r criw y gloch law gan orchymyn i'r fintai fynd yn ôl i'w chwarteri i noswylio. Roedd y sain yn hudol i glustiau Jane. Diwedd dydd a'r dyddiau oedd yn weddill ar y *Mimosa* yn lleihau gyda phob caniad nos da o'r gloch.

Cusanodd y Parch. dalcen ei ferch cyn mynd i ymuno â gweddill y gwŷr am y nos. I'r Parch. dyma gyfnod tristaf y dydd. Yn y tywyllwch fel hyn y gallai'r Parch. synhwyro ofn ac ansicrwydd y bobl o'i gwmpas, ynteu ai sŵn ei galon ei hun yn curo a glywai'n atseinio yn ei glustiau?

Syllodd Jane ar gysgod ei thad yn araf ddiflannu i lawr yr *hatch*. Ar hynny clywodd arogl corff cyfarwydd y tu cefn iddi'n anadlu'n drwm ar ei gwar.

'Be ti 'sho?'

Fe wyddai Jane yn iawn mai'r bachgen llygad gwydr oedd yno.

'Tyd i'r *galley* ymhen awren. Ma' gin i anrheg i ti,' sibrydodd y llanc.

'Anrheg o ddiawl. Dwi'n gwbod be 'di dy gynllwyn di,' atebodd Jane dan chwerthin.

'Pa gynllwyn? Wir i chdi rŵan, anrheg sydd gen i chdi.'

'Wyt ti'n dryst?' mentrodd Jane. Ni wyddai'n iawn pam yr ystyriai gyfarfod â'r bachgen.

Gwenodd y llanc arni. 'Fysat ti ddim yn siarad efo fi rŵan oni bai dy fod ti'n meddwl 'mod i'n dryst.'

Gwridodd Jane. Diolchodd fod yr hwyliau'n taflu eu cysgod tywyll arni dan dywyllwch y nos.

'Ymhen awr yn y *galley*,' sibrydodd Jane gan synnu at ei natur fentrus ei hun.

*　　　　*　　　　*

Llithrodd awel lugoer y nos dros gorff Jane gan ei chynhyrfu. Plethodd ei *topcoat* yn dynn amdani a gollwng yr *hatch* yn araf ar ei hôl. Synnodd o weld Betsan yn rhoi winc arni wrth iddi ei dal yn mentro i'r dec. Disgwyliodd Jane iddi dderbyn rhyw lun o gerydd ganddi, ond yn hytrach fe wenodd Betsan arni gan ei hannog â'i dwylo i barhau â'r daith gyfrinachol i'r *galley*. A wyddai am ei chyfeillgarwch (digon rhyfedd) â'r bachgen llygad gwydr, tybed?

Fe wyddai Jane nad oedd hawl gan aelodau o'r fintai gerdded y dec wedi iddi dywyllu. Bryd hynny y deuai ysbrydion y meirw o'r môr i feddwi'r criw a'u drysu, gan eu swyno i ddryllio'r llong ar greigiau. Onid oedd Ruth wedi adrodd yr holl chwedlau morwrol hynny wrthi, wedi iddi eu clywed yn Nhafarn y Cetyn? Serch hynny roedd mwy o ofn ar Jane gael ei dal gan un o'r criw, neu'n waeth, gan y Capten, a'i rhoi mewn cadwyni fel cosb. Byddai ei thad yn siŵr o'i diarddel.

Rhedodd ar flaenau ei thraed noeth i'r *galley* gan agor y drws yn araf a chuddio y tu ôl i'r bareli gwag yng nghornel y caban. Curai ei chalon yn gyflym a gallai weld ei hanadl ei hun yn codi'n gymylau poethion o'i blaen.

'Dyma dy anrheg,' sibrydodd llais yn sydyn y tu ôl iddi.

Byddai Jane wedi sgrechian oni bai fod ofn wedi rhewi pob gewyn ohoni. Trodd gan daro coes y llanc yn chwareus am ei dychryn. Edrychodd ar yr hyn a ddaliai'r bachgen â balchder yn ei ddwylo.

'Siswrn?' holodd Jane.

'I dorri dy wallt di.'

Eisteddai'r ddau yn wynebu'i gilydd, eu coesau wedi'u plygu fel y ddelw o'r Bwda a welodd y llanc mewn sawl teml yn Tsieina. Syllai'r ddau ar y siswrn a sgleiniai'n hudolus yn y strimyn o olau lleuad a dafellai ei ffordd drwy'r wal bren. Bu'r ddau'n ddistaw am amser, yn ofni tarfu ar y mudandod dychrynllyd a feddiannai'r llong.

'Ti am i mi . . .'

'Fysa chdi?' torrodd Jane yn frysiog ar ei draws.

'Gwnaf,' atebodd y llanc yn sicr.

Trodd Jane ei chefn at y llanc. Crynai ei chorff wrth iddi deimlo oerni llafn y siswrn yn gorwedd ar ei gwar.

'Rŵan!'

Teimlodd bwysau mawr yn disgyn yn drwsgwl i'r llawr y tu ôl iddi a chudynnau byr ei gwallt yn disgyn i gosi'i hwyneb. Chwarddodd.

Ar hynny agorwyd drws y *galley* a llithrodd dau gorff yn araf i'r ystafell. O'u cuddfan y tu ôl i'r bareli syllodd Jane a'r llanc mewn braw wrth i'r gŵr a ymdebygai i forwr dynnu dillad y ferch oddi amdani a sugno'n farus ar ei bronnau. Wrth olrhain amlinelliad corff y wraig yng ngolau'r lleuad gallai Jane weld ei bod yn feichiog. Marie . . .

Pennod 16

(Daethpwyd o hyd i'r llythyr hwn yn ffermdy'r Bryn, Cilcain, cyn-gartref Edwin Cynrig Roberts, gan Mr Edward Davies, y tenant newydd, yn Haf 1866, flwyddyn union wedi glaniad y *Mimosa* ym Mhatagonia. Ni yrrwyd y llythyr yn ei flaen at Edwin gan na wyddai Mr Edward Davies na'i wraig at bwy y cyfeiriwyd y llythyr. Yn hytrach penderfynodd y pâr priod ifanc gadw gafael ar y llythyr yn y gobaith y deuai'r sawl a oedd yn berchen arno i'w mofyn ryw ddydd. Ni ddychwelodd Edwin Cynrig Roberts i Gilcain cyn ei farwolaeth yn 1893.)

Y Bryn,
Cilcain,
Y Fflint.
29ain o Fawrth, 1865.

Annwyl fab,

Yr Arglwydd yn unig a ŵyr fy nhrallod wrth geisio canfod y geiriau i fynegi digwyddiadau echryslon y dyddiau diwethaf. Gwn i dy dad a minnau roi ein bendith i'th gynlluniau i fyned i Dde Amerig ond pe bawn â'r ddawn i swyno bore dy ymadawiad tua'r porthladd yn Lerpwl, Duw a'n helpo, mi fyddwn i'n gwneud hynny ac yn erfyn arnat i aros gyda dy deulu.

Treuliaist fisoedd lawer yn trafeilio o dref i dref yn lledaenu enw da'r Wladychfa, er i mi bryderu'n ddirfawr ynglŷn â dwyster dy gredoau. Onid gwell fyddai wedi bod i ti gystuddio nerth dy gred yn yr Arglwydd? Fe wyddet am fy nymuniadau i ti ddilyn galwad Tada i'r Weinidogaeth. Ysywaeth, gadawodd dy dad a minnau i ti ddilyn dy ewyllys dy hun a hynny yn y gobaith y byddet yn dychwelyd i amaethu i'r Bryn pan y teimlit yn barod i ymroi dy fywyd i'r tir. Credai dy dad yn gryf yn y syniad o adael i lanciau ifanc ennill cyn gymaint o brofiadau â phosib yn ystod eu bachgendod cyn iddynt fagu gwreiddiau a chadw cartref a theulu. Fe wyddost cystal â minnau i dy dad gymryd awenau'r Bryn pan yn fachgen deuddeg mlwydd oed wedi marwolaeth ei dad yn '32 ac y bu raid iddo weithio'n wydn i gynnal ei fam, heddwch i'w llwch, a'i chwech o frodyr a'i chwiorydd ifanc. Nid oedd ryfedd felly iddo fod mor awyddus i ti gael dy ryddid cyn bod angau yn dod i'w gipio ac yn dy sefydlu di'n ben teulu.

Y mae'r amser hwnnw wedi cyrraedd, fy mab. Bu dy dad yn ddifrifol wael gyda'r dwymyn, er gwaethaf pob ymdrech gennyf i dynnu ei wres i lawr. Llwyddais i werthu ambell grair o'r tŷ i dalu am y doctor i ymweld ag o ond ni lwyddodd y Sais i gynnig unrhyw iachâd. Mor fawr ydoedd fy anobaith nes y bu i mi mofyn cymorth Catrin Dafydd o'r Gors a gymysgodd ddiod arbennig o'r ddraenen wen ar gyfer dy dad. Ni lwyddodd. Hunodd dy dad am bedwar o'r gloch, 24ain o Fawrth 1865.

Nid wyf wedi medru galaru'i golled hyd yma, fy mab, Duw a fyddo'n faddeugar wrthyf, a hynny oherwydd adfyd pechadurus dy chwaer. Ddoe fe'i gyrrais i gartref Modryb Siân yn Nolwyddelan i roi genedigaeth i'r plentyn wedi sawl diwrnod yn ceisio i'r gwrthwyneb gan i mi fod angen ei chymorth yma yn y Bryn. Nid yw yn dweud wrthyf pwy ydyw'r tad. Byddai'n well ganddi farw, meddai, na datgelu enw'r cnaf. Er mawr gywilydd i mi fe'i trewais hi am ddymuno'r fath beth o gofio bod ei thad yn ei arch yn y parlwr. Y mae'r Arglwydd yn fy nghosbi'n feunyddiol am fod yn fam fethedig. Onid wyf wedi colli'r ddau ohonoch yn awr, a hynny pan yr wyf fwyaf eich angen?

Fe yrraf y llythyr hwn yn y gobaith y bydd yn dy gyrraedd, annwyl fab, cyn i ti hwylio tua'r Amerig. Ni allaf barhau â'r taliadau rhent gan fod y fferm yn ormod i mi ei rheoli ac rwyf eisoes mewn dyled. Tra'r oeddet yn teithio fe lwyddodd dy dad a minnau i guddio'r ffaith ein bod yn disgyn fwyfwy i dlodi enbyd, er gwaethaf ein hymdrechion â'r tir. Bu Gaeaf '62 ac '63 yn greulon iawn â ni ac ni lwyddodd dy dad a minnau i adfer yr arian a gollwyd gennym mewn ymdrech i gadw dy chwaer a ninnau rhag newynu. Gwn mai gwell fyddai ein bod wedi dy hysbysu o'n helbul ond fe wyddwn yn ogystal y buaset wedi dychwelyd atom gan roi'r gorau i dy waith yn cenhadu'r cynlluniau ar gyfer y Wladychfa. Ac nid oedd dy dad am weld hynny'n digwydd.

Ymbiliaf arnat yn awr i sylweddoli dy ddyletswydd atom ac i ddychwelyd i'r Bryn. Yfory fe gynhelir angladd dy dad ac yr wyf eisoes wedi derbyn llythyr gan Jones y tirfeddiannwr yn datgan mai wythnos wedi'r angladd sydd gennyf i ad-dalu'r ddyled iddo cyn y bydd yn fy ngyrru allan o'r Bryn. Os na ddychweli cyn hynny, gallaf fod yn sicr y byddaf yn ffarwelio â'r Bryn am byth. Ni wn beth a ddaw ohonof wedyn. Y mae Modryb Siân, Duw a'i bendithia, wedi cynnig lloches dros dro i mi, ond ni allaf gymryd mantais ohoni o gofio iddi fod mor garedig â'th chwaer.

Mewn gair, ni wn beth a ddaw o'r un ohonom; dy chwaer, y plentyn na minnau. Yr unig beth a obeithiaf yw y byddi'n derbyn y llythyr hwn mewn da bryd ac y byddi'n dychwelyd atom i'n hachub o'n trallod,

Yn ffyddlon,

Dy fam.

Pennod 17

What is man
If he is chief good, and market of his time
Be but to sleep and feed? – a beast, no more.

Dyfyniad o waith Pope yn y pamffled
Y Wladychfa Gymreig, Hugh Hughes

Roedd nifer o bethau nad oedd Doctor Green yn eu deall,
ond roedd y Cymry anwaraidd o'i gwmpas yn profi'n fwy
o sialens i'w ddealltwriaeth simsan o'r byd a'i bethau nag
y byddai erioed wedi'i ddychmygu.

Rhoddwyd pedwar corff i orwedd o dan y don y bore
hwnnw. Roedd Doctor Green wedi ceisio trin y pedwar
claf yn eu tro ond nid oedd ganddo'r feddyginiaeth (na'r
wybodaeth) i gynnig unrhyw iachâd, a theimlai'n fwyfwy
analluog ar y llong y rhoddwyd ef arni i wasanaethu'r
fintai a'r criw. O sgyrfi i syffilis, roedd y doctor dibrofiad
wedi gweld pob cyflwr posib ar ychydig lathenni pren y
Mimosa, a châi'r creadur ei atgoffa o'i anwybodaeth ei
hun wrth glywed y gwallgofddyn, Wynne Jones, yn
gweiddi o'i gawell yn yr howld, ei geilliau'n
chwyddedig, ei groen yn frychni o bothellau a'i feddwl
wedi'i feddiannu gan y diafol ei hun. Ni wyddai'r doctor
cyn hynny am wir erchylltra syffilis, a dechreuodd
archwilio'i groen ei hun am yr arwyddion cynnar o'r
plorod felltith o gofio'r noson a dreuliodd gyda'r hwren

yn Whitechapel tra oedd yn astudio yn Llundain. Nid oedd am adael ei ddyddiau yn y coleg yn fachgen gwyryf, a dangosodd y ferch oedrannus driciau lu iddo am ychydig ddimeiau'n unig. Serch hynny, fe deimlai'n hynod bur ynghanol y Cymry lleidiog ac ni hoffai gerdded yn eu plith yn esgus chwilio am ddiagnosis drwy edrych ar y cleifion. Byddai eu cyffwrdd yn codi cyfog arno.

Plentyn blwydd oed oedd yn yr arch gyntaf i ddiflannu dros ochr y llong. Bu'r bychan farw o gam-faeth; roedd hynny'n amlwg i unrhyw ffŵl. Roedd y fam wedi peidio â chynhyrchu ei llaeth ei hun a bu raid i'r plentyn gystadlu â phedwar plentyn arall i ddwyn ychydig o friwsion iddo'i hun o'r bwyd prin roedd y teulu o Fangor wedi'i gario gyda hwy. Roedd y fam a'r tad wedi hen arfer â cholli plant, eglurodd y Parch. wrtho. Roeddent wedi claddu tri cyn gwerthu'u heiddo i dalu am y fordaith i'r Wladychfa. Ni allai'r doctor beidio â dyfalu iddynt gladdu'r plant hynny gyda gwên gan y golygai hynny lai o gegau i'w bwydo i'r rhieni tawel na chollasant yr un deigryn am eu baban marw.

Gŵr oedrannus dros ei drigain oed oedd yn yr ail arch a ollyngwyd i'r môr islaw. Ni wyddai'r doctor yn iawn achos ei farwolaeth. Mae'n wir fod arno yntau arwyddion amlwg o gam-faeth, ond roedd rhyw dyfiant anferth yr un maint yn union â phledren mochyn yn ei stumog, ac er na allai'r doctor stumogi ei gyffwrdd fe wyddai nad oedd fawr o obaith i'r claf. Bu farw'n udo mewn poen a bu raid i rai o'r morwyr ei gludo i'r howld gan ei fod yn cadw'r dynion i gyd yn effro yn eu chwarteri cysgu. Edrychai'r weddw yn hynod ofidus yn ystod yr angladd gan nad oedd ganddi'r un perthynas arall ymysg y fintai ac ni wyddai sut y byddai'n ymdopi wedi cyrraedd y Wladychfa heb yr un enaid i ofalu amdani.

Gŵr mawr oddeutu deg ar hugain oed oedd y trydydd corff i'w gladdu o dan y don. Fe wyddai'r doctor yn iawn sut y bu i'r cythraul farw ar ôl iddo weld yr anafiadau gwaedlyd ar hyd ei gorff. Byddai wedi hysbysu'r Capten o'r ffaith fod llofrudd neu, yn wir, lofruddion ar y llong ond fe wthiwyd llythyr bygythiol dan ddrws ei gaban preifat cyn iddo gael cyfle i ddweud gair. Nid oedd fiw i'r doctor achwyn am y llofruddiaeth neu fe fyddai yntau'n cael ei rubanu'n ddarnau mân gan yr un gyllell ag a ridyllodd y gŵr marw. Bywyd bach tawel o deithio ac arlunio a ddymunai Doctor Green iddo'i hun wedi glanio yn yr Amerig, ac nid oedd am beryglu'r freuddwyd honno wrth achwyn i'r Capten am y llofruddiaeth. Yn hytrach, penderfynodd gofnodi i'r gŵr farw o'r dwymyn, a rhoddodd orchymyn i Johnson y saer hoelio'r caead ar yr arch yn o handi cyn bod y Capten yn cael cyfle i amau ei air.

Tipyn o ddirgelwch oedd achos marwolaeth y ferch olaf a ollyngwyd i'r dŵr. Ni wyddai neb, gan gynnwys ei gŵr, ei hoedran cywir. Er gwaethaf y crychau o amgylch ei cheg a'i llygaid fe ddyfalodd y doctor ei bod oddeutu pump ar hugain oed. Roedd hi'n feichiog yn ogystal, ond amhosib oedd dyfalu ers sawl mis. Roedd y corff yn syfrdanol o eiddil a'r croen a'r bronnau wedi crebachu gan newyn. Efallai iddi fod yn ferch o faint sylweddol pan oedd yn ieuengach. Gwir i'r doctor ei dychmygu (er mawr cywilydd iddo) yn blygiadau o gnawd noeth yn ei freichiau a'i bochau coch a chrwn yn rhwbio'n galed yn erbyn ei farf.

Ar yr olwg gyntaf roedd hi'n edrych fel pe bai'r ferch wedi rhoi diwedd arni'i hun. Darganfu un o'r criw ei chorff yn crogi wrth raff yn y *galley* y bore hwnnw. Serch hynny, ni allai'r doctor ddyfalu pam y byddai merch yn ei sefyllfa hi yn dymuno gwneud y fath beth. Gwir i'r doctor drin nifer o ferched a oedd wedi ceisio (a methu) rhoi diwedd arnyn nhw'u hunain, ond gwragedd o'r dosbarth uwch oedd y rheiny ran amlaf, wedi diflasu ar eu bywyd (a'u gwŷr) dibwrpas ac yn gweld rhyw ramant yn y weithred. Y puteiniaid a'r merched beichiog dibriod tlawd oedd yn gwybod sut i roi diwedd arnyn nhw'u hunain yn llwyddiannus. Nid oedd ganddynt mo'r arian i lyncu gor-ddôs o opiwm fel y gwnâi'r merched cyfoethog ac yna obeithio'r gorau. Yn hytrach, fe daflent eu hunain oddi ar bontydd neu adeiladau neu o flaen wagenni a cheffylau cyflym. Roedd y merched tlawd o ddifrif yn eu hymdrechion i'w dileu eu hunain o'r byd oedd yn eu cosbi am eu chwant. Ond nid bastard oedd gan y ferch farw hon yn ei bol. Roedd hi'n briod ac yn dechrau bywyd newydd yn y Wladychfa gyda'i gŵr oedd yn galaru ei cholled yn amlwg yn ystod y gwasanaeth. Serch hynny, ni allai'r doctor anwybyddu'r ffaith iddo ddarganfod cleisiau lu ar hyd corff y ferch farw a bod cleisiau'n ogystal yn addurno dwrn chwith ei gŵr galarus.

Ni allai'r doctor anghofio'r ferch farw, nid oherwydd amwysedd a chreulondeb ei marwolaeth, ond yn hytrach oherwydd ei henw. Yr un enw'n union â'i fam annwyl yn ôl yn Nulyn. Marie.

*   *   *

Roedd Jane yn hen gynefin â galar. Gallai ymdopi â'r boen gyfarwydd honno. Yr euogrwydd a barai iddi ddeffro o'i chwsg chwyslyd, ei phen yn un gymysgfa o ddelweddau gwaedlyd a'i chalon yn curo'n uchel yn ei chlustiau. Sut oedd posib iddi ddyfalu canlyniad ei gweithredoedd y noson honno yn y *galley*? Ond doedd dim pwrpas i Jane geisio cuddio y tu ôl i ffwlbri ei diniweidrwydd. Y gwir amdani oedd ei bod yn gwybod yn iawn iddi wneud cam enfawr â'i chyfeilles y noson honno. Cam a fyddai'n sicrhau y byddai ei henaid yn llosgi yn uffern am dragwyddoldeb.

Pe na bai'r bachgen llygad gwydr gyda hi yn y *galley* mae'n debyg na fyddai'r syniad wedi croesi meddwl Jane. Wrth weld y morwr brwnt yn sugno ar fronnau Marie yn yr hanner gwyll, y cwbl y gallai Jane ei wneud oedd cau ei llygaid yn dynn, dynn gan obeithio y byddai'r tywyllwch yn llyncu'r olygfa yn gyfan gwbl.

'Mi ladda i'r diawl!' sibrydodd y llanc yn boeth yn ei chlust. Bu raid i Jane ddal yn dynn yn ei sodlau i'w atal rhag saethu dros y casgenni. Wedi'r cyfan, roedd y morwr yn ddwywaith gymaint â'r llanc. Un slap a byddai'r creadur megis crempogen lipa ar y llawr. Serch hynny, roedd yn rhaid iddynt wneud rhywbeth. Dechreuodd y morwr duchan yn swnllyd, a gallai Jane weld Marie'n troi ei thrwyn ac yn ffieiddio'i wefusau gwlyb hyd ei chorff. Ond nid oedd y morwr yn cymryd Marie yn erbyn ei hewyllys. Yn wir, fe safai bellach yn noeth o'i flaen, yn tywys ei ddwylo i'w chyffwrdd.

'Alla i'm diodda aros yn fan hyn,' sibrydodd Jane. Gallai weld dagrau bychain yn disgyn o lygaid ei chyfeilles.

'Ar ôl tri gafaela'n dynn yn fy llaw i ac mi redwn ni am y drws, iawn?'

'Be am Marie?' ychwanegodd Jane yn frysiog.

'Mi a' i i nôl ei gŵr hi,' atebodd y llanc.

Fe wyddai Jane ar unwaith nad oedd hynny'n syniad da. Fe wyddai oddi wrth yr ofn a lenwai lygaid Marie pan welai ei phriod bob bore nad gŵr i ymddiried ynddo mohono. Roedd perygl ym mhob ystum o'i gorff a chasineb ym mhob diferyn o'i boer. Fe wyddai Jane hyn, ond ni weithredodd ar ei gwybodaeth. Pam yn union y gadawodd iddi'i hun gael ei llusgo drwy ddrws y *galley* ac yna gadael i'r llanc fynd i ddeffro gŵr Marie o'i gwsg (meddw), ni wyddai'n iawn. Gallai esgus bod ofn wedi dallu ei synnwyr cyffredin, ond ni theimlodd Jane yr ofn. Gallai wedyn esgus bod y sioc o weld ei chyfeilles yn cael ei thrin yn y fath fodd wedi cymylu'i meddwl, ond roedd siarad brwnt y merched yn eu byncs wedi hen baratoi Jane ar gyfer yr hyn a ddigwyddai'n gyfrinachol rhwng bachgen a merch. Y gwir amdani oedd na allai Jane guddio y tu ôl i unrhyw esgus. Gadawodd i ŵr Marie ffrwydro drwy ddrws y *galley* gan daflu'i wraig o'r neilltu a gwasgu gwddf y morwr hyd nes bod ei wyneb yn biws. Ac yn waeth na hynny, fe drodd Jane ei chefn ar y cyfan gan lithro'n ôl yn ddistaw i chwarteri cysgu'r merched a phlannu'i chorff blinedig dan gynfasau ei bync. Ni allai Jane fyth faddau iddi ei hun am hynny. Ni allai Alice a gweddill y merched faddau ychwaith wrth i Jane synhwyro'r agendor o gasineb a dyfai rhyngddynt yn ddyddiol.

*   *   *

Aeth y Parch. Arnallt Morgan yn unswydd i adrodd wrth y Capten pan gyrhaeddodd yr hanes ei glustiau. Rhaid oedd dileu'r llanciau nwydwyllt a fanteisiai ar newyn y merched tlawd. Ambell fisged a dogn ychwanegol o ddŵr am ennyd noeth a phechadurus. Nid oedd synnwyr yn y fath greulondeb.

Mentrodd y Parch. i fyny'r grisiau a arweiniai at y dec uchaf. Curodd yn ysgafn ar ddrws caban y Capten a chlirio'i wddf yn nerfus. Ni hoffai'r modd yr edrychai'r Capten i lawr arno, ac yn waeth na hynny, ni hoffai'r modd y newidiai yntau yng nghwmni'r Capten, megis bachgen bach yn awyddus i blesio.

'ENTER!' udodd y Capten. Rhaid bod hwyliau da arno i ganiatáu mynediad.

Cerddodd y Parch. yn araf i'r caban gan synnu at yr oglau melys. O dan yr unig ffenest yn y caban roedd y Capten yn astudio rhyw siartiau a mapiau gyda John Downes, y mêt cyntaf.

'Been blown off course last few days,' mynegodd y Capten heb godi'i lygaid o'r siartiau i gyfarch y Parch.

'You don't say?' mentrodd y Parch. mewn ymdrech i ddangos consýrn.

'Yes, I do,' atebodd y Capten gan edrych yn ddwfn i lygaid y Parch. *'What do you want?'*

'Well, it's a bit of a sensitive issue, Captain. And . . . well . . . I don't know . . .'

'Spit it out!' gorchmynnodd y Capten, ond fe fyddai'n well gan y Parch. pe bai'r mêt wedi eu gadael i drafod y mater yn gyfrinachol. Tynnodd ei wynt ato gan fentro eto.

'It's come to my attention that one of the seamen on board has been approaching many of the women and

196

bribing them with extra food rations and fresh water in exchange for . . .'

Sut oedd mynegi'r weithred yn Saesneg?

'. . . in exchange for a few personal favours, Captain.'

Ysgydwodd y Capten ei ben yn araf.

'Have any of the women succumbed to his advances?'

'No, none to my knowledge, Captain,' atebodd y Parch. yn ddiolchgar.

Trodd y Capten tuag at y mêt.

'Walter's back to his old tricks then? He's had plenty of warnings. Bring him to me.'

Diflannodd y mêt ar garlam i mofyn y morwr euog. Roedd ei wyneb yn addurn o wên. Roedd o wrth ei fodd yn gweld un o'r criw yn derbyn cerydd ac ambell chwip gan y Capten.

'Thank you for letting me know, sir. It's difficult controlling these scum that work for me. I'm ashamed to call many of them seamen.'

Ni wyddai'r Parch. sut i ymateb i'r fath ddatganiad.

'How long do you believe we have left of the voyage? Food and water supplies are running worryingly low.'

'You'll be glad to hear that we only have a few days left. You'll be able to see your precious Patagonia within two days' time, sir,' ychwanegodd y Capten gyda malais yn ei lais.

Ni chymerodd y Parch. unrhyw sylw o'r sbeit; roedd yn rhy wefreiddiol o hapus i wneud hynny. Deuddydd yn unig a byddai'n gweld tir ffrwythlon y Wladychfa ar y gorwel.

*　　　　　*　　　　　*

Taenodd Jane y flanced yn dynn amdani gan sicrhau bod ei phen wedi'i orchuddio â'i chap les. Diolchai fod y tywydd wedi troi gan roi esgus iddi guddio'i phen mewn ymdrech i gadw'n gynnes. Ni wyddai neb eto ei bod wedi torri'i gwallt y noson flaenorol, ac nid oedd am gorddi'r dyfroedd ymhellach. Llwyddodd teimladau gofidus Sioned ynglŷn â salwch ei gŵr i chwarae ar nerfau'r merched, ac roedd rhyw len o alar wedi disgyn ar bawb wedi marwolaeth Marie. Câi calon Jane ei mygu gan yr holl emosiynau nes peri iddi dreulio'i diwrnod yn oerni agored y dec.

'Ma'r *Mimosa*'n diolch yn arw am dy wallt di,' gwaeddodd y bachgen llygad gwydr uwch ei phen ar y rigin.

'Cadwa dy lais i lawr!' siarsiodd Jane. Ni ddeallai sut y gallai'r llanc gyflawni ei ddyletswyddau mor ddi-hid, ac yntau, fel hithau, â gwaed Marie ar ei ddwylo.

Disgynnodd y bachgen yn hyderus o'r rigin gan ddal rhaff o flaen trwyn Jane fel cath wedi dal llygoden.

''Drycha'n ofalus. Dy wallt di sy'n y clymau hemp 'ma.'

Craffodd Jane ar y darn rhaff hyd nes iddi weld ei blewiach ei hun yn pigo'n dywyll yn y clymau. Gwenodd.

'Dyna welliant!' A diflannodd y bachgen i fyny'r ysgol raff i guddio ym mhlygiadau'r hwyliau gwyn.

Yn sydyn clywodd Jane sgrechiadau o orfoledd yn dod o du criw bychan o'r fintai a safai yn ochr aswy'r llong. Aeth atynt yn ei chwilfrydedd gan syllu i lawr i'r dŵr dros ochr y llong. Yn dawnsio yng nghysgod y *Mimosa* gallai Jane weld pum pysgodyn enfawr, eu crwyn fel arian a'u trwynau'n bigau crwn yn rasio yng nghanol yr ewyn.

'Beth yn y byd ydyn nhw?' ebychodd un o'r plant, ond ni allai'r rhieni eu hateb.

'Porpois,' eglurodd y mêt a ddigwyddai fod yn cerdded heibio i'r criw cynhyrfus, er na ffwdanodd i edrych ar y pysgod rhyfeddol islaw.

'Por-pois,' meddai'r plentyn yn araf, gan ailadrodd y gair mewn ymdrech i'w serio ar ei gof.

Ar hynny fe deimlodd Jane bâr o ddwylo'n gafael yn ei hysgwyddau i'w throi, a chusan wlyb ei thad yn disgyn gyda chlep ar ei thalcen.

'Deuddydd, Jane bach, deuddydd ac mi fyddan ni'n cael cip cynta o'r Wladychfa! Newydd fod yn siarad 'fo'r Capten ydw i'r funud 'ma.'

Cynhyrfodd y criw a safai wrth ymyl Jane ymhellach o glywed y geiriau, gan wasgaru i adrodd y newydd da wrth deulu a chyfeillion.

Safodd y Parch. wrth ymyl ei ferch gan ymuno yn ei hudoliaeth â'r porpois.

'Dipyn o gig ar y pysgod 'na,' ychwanegodd y Parch.

'Porpois ydyn nhw, tada, nid pysgod. Dydyn nhw ddim i'w bwyta.'

Wrth gwrs, ni wyddai Jane a ellid eu bwyta ai peidio, ond nid oedd am i'w thad ddifetha swyn yr anifeiliaid hyn gyda'r sôn am eu lladd a'u bwtsiera.

Safodd y tad a'r ferch yn dawel am sbel, y ddau wedi diflannu'n ddwfn i'w breuddwydion. O edrych ar y ddau, anodd fyddai gweld y tebygrwydd rhyngddynt. Gŵr nobl, byr oedd y Parch., ei farf yn wifrau garw o ddu a'r ychydig wallt oedd ganddo'n weddill ar ei ben wedi britho'n batrymau o bupur a halen. Roedd Jane bellach yr un taldra'n union â'i thad ac edrychai fel styllen denau yn ei gysgod. Gwallt di-liw oedd ganddi, heb fod yn frown na choch na melyn, a doedd torri'r blewiach seimllyd y noson cynt yn fawr o golled iddi, mewn gwirionedd. Byddai Jane wedi hoffi etifeddu gwallt gwinau ei thad, er na fyddai'n cyfaddef hynny wrtho. Gwyddai mai mop o gyrls du oedd gan y ddau faban marw a aned i'w thad a'i mam cyn ei genedigaeth lwyddiannus hi. Gwyddai hefyd na fu ei mam fyth yr un fath wedi iddi golli'i phlant a'u gwallt modrwyog, tywyll.

Efallai mai'r tawelwch rhyngddynt a barodd i Jane ofyn yr hyn a wnaeth i'w thad. Neu'n hytrach y teimladau pruddglwyfus a gorddai ynddi wrth ddilyn dawns y porpois. Efallai mai'r unigrwydd a deimlai yn sgil oerni cynyddol y merched tuag ati oedd ar fai. Neu'r hiraeth a gosai ei chalon yn ddyddiol. Hiraeth am y goeden dderw y bu Elis a hithau'n ei dringo pan oeddent yn blant. Hiraeth am liwiau'r Garn a chysgod mynydd Nefyn. Hiraeth am arogl y cloddiau eithin; arogl ei phlentyndod. Hiraeth am Ruth. Hiraeth am ei mam. Efallai bod y cyfan hynny ar fai wrth iddi fentro gofyn y cwestiwn a fu'n tynnu wrth dannau ei chydwybod ers amser.

'Pam ddaru Mam ein gadael ni?'

Fe wyddai'r Parch. y byddai ei ferch yn holi ryw ddydd am yr hyn a ddigwyddodd i'w mam. Nid twpsen mohoni; roedd hi'n ferch holgar, ac onid oedd Ruth wedi ei rhybuddio nad da oedd celu'r gwir oddi wrth ei ferch? Tynnodd ei wynt ato. Nid hawdd oedd dod o hyd i'r geiriau. Nid hawdd oedd atgyfodi'r digwyddiadau ychwaith, wedi iddo eu claddu'n ddwfn yn y dyfnderoedd tywyll y tu mewn iddo.

'Aeth hi am dro i'r Garn ac mi aeth ar goll. Roedd hi'n

rhy hwyr i'w hachub pan gawsom hyd iddi,' mentrodd y Parch. ond fe wyddai nad oedd ei ferch yn credu'r chwedl.

'Mi'r oedd Mam wedi mynd ar goll ymhell cyn iddi fentro i'r Garn,' ychwanegodd Jane. Crynodd y Parch. o glywed y gwir yn llifo'n rhwydd o enau ei ferch. 'Y fi oedd ar fai, Tada?'

'Naci wir, 'ngenath fach i. Doedd neb ar fai mewn gwirionedd. Amgylchiadau'n greulon 'fo dy fam drwy'i hoes,' sibrydodd y Parch.

Gwyddai fod yn rhaid iddo adrodd y cyfan wrth ei ferch.

'Roedd dy fam yn feichiog pan gyfarfûm â hi, ei chymar wedi hen ddiflannu ar long i Awstralia. Ei thad yn pryderu'n ddirfawr am enaid pechadurus ei ferch ac yn gofyn i'w gyfaill, sef fy nhad, am gymorth.'

'Fe gymeroch chi hi fel cymwynas i gyfaill eich tad?' adroddodd Jane mewn anghrediniaeth.

'Ro'n i â'm llygad arni ers amser. Roedd ei chyflwr enbyd yn esgus i mi ei chael o'r diwedd. Doedd dy fam ddim eisiau fy mhriodi, ond doedd ganddi mo'r dewis. Fy mhriodi i neu gael ei herlid i'r wyrcws – dyna oedd y dewis. Rwy'n siŵr iddi ddifaru peidio â chynnig ei hun i'r wyrcws ym Mhwllheli. Chawson ni 'run eiliad o hapusrwydd gyda'n gilydd.'

Fe wyddai Jane am y casineb rhwng ei mam a'i thad; cafodd ei magu mewn cartref lle'r oedd cariad mor brin â halen. Serch hynny, ni wyddai i'w mam bropor roi ei hun i lanc cyn iddi briodi. Onid oedd wedi stwffio pob gwers egwyddorol a moesol i lawr corn gwddw Jane er pan oedd yn blentyn? Ei mam, yr hwren. O ddysgu am ei

201

gwendidau, rywfodd fe deimlai Jane yn agosach at ei mam farw nag a wnaethai erioed pan oedd yn fyw.

'Be ddigwyddodd i'r plentyn?'

'Mi wyddost iddo farw ychydig funudau ar ôl ei enedigaeth, fel y gwnaeth ein hail blentyn.' Synnodd y Parch. at y difaterwch yn ei lais.

'Ond mi'r oedd y ddau blentyn o'r un bryd a gwedd yn union, medda Mam. Gwallt cyrliog du a llygaid mawr glas.' A siaradodd ei mam air o wirionedd wrthi yn ystod ei hoes?

'Chafodd hi erioed mo'u gweld nhw. Ei mam yn benderfynol o guddio'u cyrff marw oddi wrthi rhag ofn ei drysu. Ches innau mo'u gweld nhw ychwaith.'

Ond mi ddrysodd mam Jane wedi hynny. Ni fu'n llawn llathen, chwedl Ruth, wedi colli'r ail faban. Dyna'r union reswm pam y cyflogwyd Ruth i warchod Jane. Nid oedd y Parch. yn gallu ymddiried yn ei wraig i fagu'r fechan gan fod ei chyflwr mor fregus.

'Roedd yn rhaid iddi fynd, Jane bach. Dyna oedd ei dymuniad. Diflannu i fyny creigiau'r Garn ac ymgolli yn y llwyni grug a'r cloddiau eithin.'

Roedd y porpois bellach wedi peidio mela â chysgod y llong ar y tonnau ac wedi plymio i ddyfnderoedd y môr.

'Sut le 'di Patagonia, Tada?'

'Gwell, 'y nghariad i.'

Pennod 18

27ain, Dydd Iau
Agor ein llygaid yn New Bay. Amryw yn codi tua 4 o'r
gloch y boreu, ac yn cadw twrw mawr, gan gerdded i fyny
ac i lawr. Bore hyfryd. Pur dawel . . . mae yn bur uchel o
ystyried mai canol gauaf ydyw. Bay braf yn edrych ydyw
hwn.

Dyddiadur Mimosa, Joseph Seth Jones

Mae modd ffurfio Gwladychfa, er i ni ddechrau mewn lle
anial. Y mae dechreuad wedi bod i bob man . . . bob yn
dipyn daw y wlad i drefn, daw yr anialwch yn llawn tai, ac
wedi ei gau i fyny gan gaeau, dinasoedd poblogaidd yn y
lle oedd gynt yn orweddfa i geirw.

Edwin Cynrig Roberts yn *Yr Hirdaith,*
Elvey MacDonald

Gwaeddodd Wynne Jones ei ddiolchiadau i'r Capten am
ganiatáu iddo gymryd tro o amgylch y dec wedi dyddiau
lu yn nhywyllwch ei gawell yn yr howld. Nid oedd
Doctor Green yn canmol y penderfyniad; Duw a ŵyr beth
a wnâi'r gwallgofddyn o gael ei ryddhau. Serch hynny bu
raid iddo sicrhau'r ddau forwr (anffodus) a gafodd eu
hethol gan y Capten i gerdded fraich ym mraich â'r
gwallgofddyn nad oedd posib iddynt ddal ei haint.
Llwyddodd i ddrysu'r ddau dwpsyn i gredu bod golau

203

dydd yn llwyddo i ladd yr haint ac na fyddent yn agored i ddal y salwch pe baent yn aros dan wreichion iachus yr haul. Y ffylied!

Wrth gerdded y grisiau'n grynedig i'r dec fe losgai golau'r wawr yn chwerw felys yn llygaid Wynne Jones. Cyn i'r ddau forwr gael cyfle i'w rwystro fe blymiodd ei ben yn y gasgen dŵr glaw wrth y *galley* gan yfed y dŵr hallt yn awchus. Roedd syched y cythraul arno, ac er gwaethaf ei draflyncau barus ni lwyddodd y dŵr i dorri ar y syched hwnnw. Gafaelodd y morwyr yn ddiamynedd o dan ei geseiliau gan ei lusgo o'r gasgen mewn ymdrech i'w annog i gerdded o amgylch y dec. Ffrwydrodd un o'r pothellau egr ar ei groen dan afael gadarn un o'r morwyr. Gwaeddodd yntau wrth deimlo'r gwlybaniaeth gludiog megis melynwy sur hyd ei fysedd.

'You're disgusting! Feckin disgusting, d'ya hear me?' udodd y morwr gyda bloedd.

Gollyngodd y morwr arall gesail chwith Wynne Jones gyda braw o weld y crawn hyd fysedd ei gyfaill. Disgynnodd y claf i'r llawr gyda chlec a griddfan wrth deimlo'r boen gyfarwydd yn cripian hyd ei gorff.

'Land a-hoy!'

Ymddangosodd y Capten o'i gaban ac i lawr i'r dec gan holi'r morwr â'r llygad gwydr a waeddodd y newyddion o'i le ar ben y prif fast.

'In full view within half an hour, Captain!' gwaeddodd y llanc gyda gorfoledd.

'Please, Captain, I'm dying! Let me see land before I die!' plediodd y claf.

Mewn ymdrech i ryddhau ei goes dde o afael y gwallgofddyn a edrychai'n debyg i swp o garpiau ar y llawr, fe amneidiodd y Capten â'i fraich i'r claf fynd i edrych dros ochr y llong i geisio cael cip ar Batagonia. Serch hynny, fe gododd Wynne Jones ar ei draed ag egni rhyfeddol gan garlamu tuag at y prif fast a chrafangu ei ffordd i fyny'r rhaffau. Gorchmynnodd y Capten i'r ddau forwr ei ddilyn, ond fe'i hanwybyddwyd ganddynt gan eu bod yn brysur yn plicio'r crawn oddi ar eu dwylo. Rhedodd yr ail fêt, cawr o Wyddel, i gynorthwyo'r Capten ond fe'i gorchmynnwyd i beidio â dringo i ddal y gwallgofddyn. Y peth lleiaf y gallai'r Capten ei ganiatáu i ŵr oedd ar fin marw oedd ei ddymuniad olaf. A byddai'n hynod gyfleus pe bai'r gwallgofddyn yn colli'i gydbwysedd ac yn disgyn i'r môr islaw.

Ond llwyddodd Wynne Jones i gyrraedd pen y mast heb faglu ar y rhaffau dirifedi, a chipiodd y telesgôp o ddwylo'r llanc â'r llygad gwydr.

'Tir, gyfeillion! Gymry oll, rwy'n gallu gweld ein hyfryd Wladychfa!'

*   *   *

Cododd Edwin Cynrig Roberts â phryder oes ar ei ysgwyddau y bore hwnnw. Roedd Lewis a'i wraig eisoes wedi ei adael am Batagones ers tridiau ac ni allai ymlacio yng nghwmni'r gweision newydd (yn enwedig ar ôl anffawd y ffynnon). Almaenwyr oedd y tri gwas newydd – ffaith a achosai broblemau cyfathrebu dirifedi i Edwin a Jerry wrth geisio eu gorchymyn i weithio. Sibrydai'r tri estron ifanc wrth eu gwaith, eu hiaith â'i seiniau caled yn clecian yn bryderus yng nghlustiau Edwin. A fyddent yn ceisio ymosod arno? Doedd wybod pa gynllwyn marwol a garlamai drwy eu meddyliau.

Wrth agor drws y caban i gael cip ar y tywydd fe synnodd Edwin at wynt oer y bore'n tynnu'n wyllt ar yr ychydig flew y ceisiai eu tyfu'n farf. Caeodd y drws gyda chlep cyn mofyn ei benwisg o groen cwningen, ei thaenu'n glyd dros ei ben a'i glustiau a'i chlymu'n dynn o dan ei ên. Aeth i swatio o dan ei flancedi i geisio cadw'n gynnes cyn estyn ei ddillad gwaith. Ceisiodd wisgo'r dillad amdano'n ddistaw o dan y blancedi fel na fyddai'n deffro'r gweision wrth ei ymyl. Fe hoffai Edwin eu gweld yn deffro'n gysglyd i ganfod ei wely'n wag. Byddent yna'n gwisgo'n frysiog, yn goesau ac yn freichiau i gyd, mewn ymdrech i ddal i fyny ag Edwin a Jerry a oedd wedi gorffen eu brecwast ac yn gadael y gwersyll i ddechrau ar ddiwrnod o waith. Eu cadw ar flaenau'u traed; dyna oedd bwriad Edwin i sicrhau na fyddent yn cael y blaen arno.

Wrth i Edwin roi ei draed creithiog yn ei esgidiau caled fe ddeffrodd Jerry wrth glywed y gwadnau toredig yn crafu ar lawr pren y caban. Cododd yntau'n araf gan wisgo'n sydyn o flaen Edwin. Syllai yntau ar y corff iach o'i flaen. Ni wyddai sut y llwyddodd y negro i gryfhau'n ddyddiol wrth ei waith. I'r gwrthwyneb, roedd corff Edwin wedi gwanhau, a theimlai'n fwyfwy ymwybodol o'r esgyrn a greai onglau chwithig hyd ei gorff.

Ailagorodd Edwin ddrws y caban gan arwain y ffordd i'r ystordy. Casglodd y ddau gynhwysion eu brecwast yn ddistaw, y gŵr tywyll yn estyn dŵr glaw i'r gŵr gwyn, y gŵr gwyn yn torri tafell o fara ceirch caled i'r gŵr tywyll. Er gwaethaf sicrwydd eu system o baratoi'r brecwast, roedd rhyw gwmwl du yn cysgodi meddyliau'r ddau ohonynt. Roedd y *Mimosa* eisoes dros bythefnos yn hwyr a dylai Lewis fod wedi dychwelyd o Batagones erbyn hyn. Ac ni allai'r ddau anwybyddu ôl traed yr Indiaid yn batrymau brawychus yn y pridd o amgylch y gwersyll.

*   *   *

Hugh Hughes oedd y cyntaf i glywed y geiriau. Cododd ar ei eistedd yn ei fync gan daro'i ben (fel y gwnâi bob bore) ar y trawst pren. Anwesodd y dolur cyn syrthio'n swp o'i fync a cherdded i fyny'r grisiau'n ofalus yn y tywyllwch. Cilagorodd ddrws yr *hatch* gan ddal ei glust chwith i'r awel oer.

'. . . rwy'n gallu gweld ein hyfryd Wladychfa!'

Sicrhaodd Hugh Hughes ei hun nad breuddwydio yr oedd. Roedd y dolur ar ei ben yn curo'n galed gan brofi ei fod mor effro â'i awen ei hun.

'Tir,' sibrydodd yn dawel dan ei wynt, mewn ymdrech i gredu'i eiriau ei hun.

'Tir!' gwaeddodd yn uchel drachefn gan lwyddo i gynhyrfu'r llanciau a gysgai'n agos ato.

'TIR!' udodd yr eildro gan sicrhau sylw'r gwŷr i gyd.

'Tir?' cwestiynodd y Parch. Arnallt Morgan, ond roedd nifer o'r bechgyn ieuengaf eisoes yn gwisgo'n frysiog ac yn carlamu'n eiddgar heibio i Hugh Hughes ar y grisiau gan beri iddo ddisgyn oddi ar yr ysgol bren.

'Faint o'r gloch 'di hi?' sibrydodd y Parch. yn gysglyd.

'Pa ots, Barchedig? Rydym wedi cyrraedd! Rydym wedi cyrraedd y Wladychfa!' atebodd Hugh Hughes yn llawn cynnwrf.

Taflodd y bardd ei *top coat* amdano gan annog y Parch. i wneud yr un peth. Chwarddodd y Parch. wrth weld ei gyfaill yn baglu ar y grisiau pren wrth geisio eu dringo i gyrraedd y dec. Roedd pob bync o'i amgylch bellach yn wag a gallai glywed gwaeddiadau'r gwŷr i gyd ar y dec. Dringodd y Parch. yn araf o'i fync gan sawru'r foment i'r eithaf. Dyma'r dechrau. Dechrau bywyd newydd iddo yntau a'i ferch.

*   *   *

Llithrodd y cryman o ddwylo Edwin am y pumed tro gan beri iddo golli'i dymer. Syllodd yr Almaenwyr yn geg agored ar eu meistr yn taflu'r llafn o'r neilltu ac yn cicio'r llwyni drain gan sgrechian fel plentyn yn strancio. Taflodd Edwin ei hun ar lawr wedi llwyr ymlâdd gan gladdu'i wyneb yn y pridd oer.

'*Es loco!*' sibrydodd Jerry dan ei wynt dan chwerthin gan barhau ar yr un pryd â'r gwaith o glirio'r llwyni.

Ymunodd Edwin yn y chwerthin gan lyncu cegaid o bridd yn ddamweiniol. Oedd, mi'r oedd o'n wallgof a throdd ar ei gefn i syllu ar ei gyfaill gan chwerthin yn uwch.

Ni wyddai'r Almaenwyr druain beth i'w wneud. Roeddent eisoes wedi dod i'r casgliad nad llanciau cyffredin mo'u meistr a'r negro, ac ni allent ddehongli'r berthynas ddigon od a fodolai rhyngddynt. Meistr a gwas oedd y ddau, ond fe gydweithient fel hen gyfeillion gan weiddi gorchmynion i'r Almaenwyr fel pe baent yn anifeiliaid. Negro oedd Jerry, wedi'r cyfan, ac ni theimlai'r Almaenwyr ifanc yn gyffyrddus wrth ildio i orchmynion negro.

Cododd Edwin ar ei draed gan fynd i chwilio am ei gryman yn y llwyni drain. Plymiodd ei law dde'n ddi-hid

i'r brigau pigog gan grafu'i groen. Disgynnodd y dafnau
o waed yn araf, y coch yn smotiau prydferth o waedlyd ar
y brigau brown. Tynnodd ei gap oddi ar ei ben a'i
rwymo'n dynn am ei law i atal y gwaed. Yna, cofiodd
Edwin yn sydyn nad oedd wedi cynnal seremoni codi'r
Ddraig Goch y bore hwnnw. Chwifiodd ei law arall yn
eiddgar i dynnu sylw'r gweision ac amneidiodd ar i'r
pedwar ei ddilyn yn ôl i'r gwersyll. Syllodd yr
Almaenwyr ar ei gilydd. Ychydig o'r llwyni'n unig yr
oeddent wedi'u clirio.

'*Fregado loco,*' sibrydodd Jerry drachefn cyn dilyn ôl
troed Edwin yn y tir llychlyd yn ôl tua'r gwersyll.

*   *   *

Ni ddeallai Mary fach pam na rannai Jane y cynnwrf a
oedd bellach wedi meddiannu'r *Mimosa* gyfan. Eisteddai
yn awr ar lawr pren y chwarteri cysgu yn syllu ar ei
harwres yn smalio cysgu yn ei bync.

'Smo ti'n sâl,' cyhoeddodd Mary'n sicr. ''Sda ti ddim
dolur, na gwres, a mae dy fochau di'n binc, binc.'

Ond nid atebodd Jane. Yn hytrach tynnodd ei chynfas
dros ei phen mewn ymdrech i ddileu presenoldeb y
plentyn a oedd megis lleuen yn boen yn ei chlust.

'Mae pawb mas ar y dec. Ti yw'r unig un sy'n wirion
ac yn aros yn dy wely,' mentrodd Mary cyn edrych i
archwilio'r byncs o'i chwmpas.

'Wel, mae pawb ond Mrs Huws o'r Blaenau mas ar y
dec. Ond mae hi'n wirioneddol wael. Mam yn dweud na
welith hi fore arall. Ond mi'r wyt ti, Jane Morgan, yn
ffugio. Tyrd mas ar y dec y funud 'ma!' ceisiodd Mary'r

eildro, yn dynwared llais ei mam. Ond fel ei mam, ni chafodd ei cherydd fawr o ddylanwad.

Trodd Mary'n sydyn o glywed yr *hatch* yn cael ei agor yn frysiog a chamau breision yn disgyn yn bwysau trwm ar y grisiau. Symudodd Mary o'r ffordd. Er gwaethaf ei dewrder nid oedd am fentro croesi Alice (yn enwedig a hithau ond yn bump oed). Gafaelodd Alice yn dynn ym mraich Jane o dan ei chynfas wely a'i llusgo allan o'i bync.

'Tyd allan, yr hogan wirion i chdi! Be sy'n bod arna chdi, dŵa?' gwaeddodd.

'Ddim isio bod yma. Nid fy newis i oedd mudo i Batagonia ddiawl,' mentrodd Jane.

'Dewis? Ti'n meddwl bod yr un ohonan ni wedi dewis mewn difrif i fudo 'ma? Un rhaid sy 'na mewn bywyd, a marw 'di hwnnw medda nhw, ond pwy uffar 'dyn nhw? Un rhaid mawr ydi bywyd. 'Sgin yr un ohonan ni wir ddewis. Ti'n meddwl i Tudur y gŵr a minna ddewis cael ein gyrru oddi ar ein fferm yn ôl ym Môn 'cw? Ti'n meddwl i mi ddewis claddu fy unig blentyn ar y ffor' i Lerpwl? Ti'n meddwl i Sioned, a hithau ond newydd briodi, ddewis gofalu ar ôl ei gŵr sy'n marw? Ti'n meddwl i Marie ddewis cael ei lladd?'

Crynai corff Alice wrth iddi adrodd ei phregeth a dechreuodd Mary grio'n dawel, er na wyddai pam yn iawn. Cododd Jane ar ei thraed yn araf gan wisgo'i pheisiau cyn tynnu'i ffrog amdani. Synnodd o weld ei hun yn crio wrth geisio cau'r botymau niferus, a gadawodd i Alice glymu ei staes yn dynn amdani. Aildaenodd Jane ei siôl am ei phen, gan sicrhau na ddeuai ei gwallt byr i olwg Alice a Mary.

'Barod?' mentrodd Mary, a gafaelodd yn llaw ei harwres gan ei thywys i fyny'r grisiau pren i'r dec.

Wedi iddi gyrraedd y dec, ni ddeallai Jane pam roedd y fintai i gyd yn ddistaw. Ychydig funudau ynghynt roedd wedi clywed eu gwaeddiadau cynhyrfus yn glir o'i chuddfan o dan ei chynfas. Cerddodd at ochr y llong gan chwilio am ei thad. Synnodd o'i weld yntau yr un mor ddistaw, a golwg bryderus yn cysgodi ei wyneb.

'Beth sy'n bod, Tada?'

'Dim byd ond creigiau,' sibrydodd yntau, 'does dim byd ond creigiau. Dim sôn am y Bonwr Lewis Jones na'r Bonwr Edwin Roberts, na thai na chaeau nac anifeiliaid na dim. Dim byd ond creigiau.'

Ymunodd Jane yn nistawrwydd y fintai gan syllu ar y creigiau llwydion a wgai'n fygythiol arnynt wrth iddynt hwylio'n araf mewn ymdrech ofer i chwilio am Iwtopia'r Wladychfa.

*   *   *

Eisteddai'r Bonwr Lewis Jones yn hynod annifyr ar ei gadair bren o dan brif hwyl y *Juno*. Pwysai corff ei wraig yn lletchwith arno gyda chwydd ei bol yn dwyn rhan go sylweddol o'r gadair. Er gwaethaf ymdrechion ei rosyn i'w annog i fwytho'r chwydd ni allai Lewis wneud hynny. Rywfodd fe godai'r syniad cyfog arno, er na feiddiai gyfaddef hynny. Er gwaethaf y cramp a ymgripiai drwy ei goesau (diolch i bwysau corff ei wraig), ar y cyfan fe deimlai Lewis yn eithaf calonnog. Roedd wedi llwyddo i ddod â chyflenwad hael o geirch a thatws o Batagones, ynghyd â rhagor o ddefaid a moch a glywai'n brefu a rhochian yn awr yn nhywyllwch yr howld. Ni wyddai Lewis yn iawn pam y pryderai Edwin ynglŷn â diffyg prydlondeb glaniad y fintai. Onid oedd y ffaith i'r *Mimosa* fod yn hwyr wedi rhoi rhagor o amser iddynt baratoi ar gyfer aelodau'r fintai? Un daith oedd ganddo'n weddill i Batagones i chwilio am ragor o ddarpariaeth ar gyfer y fintai, a byddai wedi cwblhau ei ddyletswydd. Beth wedyn? Ceisio gwneud bywoliaeth yn y Wladychfa? Dychwelyd i Gymru? Ni wyddai'n iawn. Fe'i dychrynwyd gan y naill ddewis a'r llall, ac eto roedd ganddo'r awydd mwyaf i fagu gwreiddiau yn rhywle.

Ar hynny dechreuodd nifer o griw y *Juno* weiddi'n uchel, ac er na ddeallai Lewis ond ychydig o Sbaeneg fe wyddai mai gwaeddiadau o gynnwrf a glywai. Cododd yn araf o'i gadair gan wneud yn siŵr nad oedd yn deffro'i wraig oedd bellach yn cysgu a gwên ar ei hwyneb. Aeth i edrych dros ystlys y sgwner fechan gan graffu tua'r gorwel. Gwelai gwch rhwyfo yn agosáu atynt gyda thri gŵr yn chwifio'u breichiau'n eiddgar arnynt. O graffu ymhellach gallai Lewis olrhain amlinell sgwner arall yn y pellter. A'r Ddraig Goch yn chwifio. Doedd dim amheuaeth o gwbl – y *Mimosa* oedd hi!

*   *   *

Gwisgodd Edwin ei lifrai amdano'n frysiog. Rhwygodd ran o'i lawes yn ei frys a diawliodd. Fe wyddai y dylai fod wedi rhoi gwnïad dwbwl wrth wnïo'r lifrai hyn i'r gweision ac yntau, ond doedd dim pwrpas difaru'n awr. Gorchmynnodd i'r gweision wisgo'u lifrai hwythau a'i ddilyn at y bryn y tu ôl i'r ystordy. Ni ddeallodd y tri Almaenwr ei orchymyn, ond roeddent yn hen gynefin â'r drefn bellach. Tybient mai creaduriaid gwladgarol ar y naw oedd y Cymry. Rhyfedd oedd iddynt glywed felly fod llong yn cario dros gant o Gymry yn cefnu ar eu gwlad ac ar eu ffordd i fentro byw bywyd newydd ar dir (digon anffrwythlon) Patagonia.

Clymodd Jerry y Ddraig Goch ar y polyn gan adael i Edwin ei chodi â rhaff. Safodd y pump – Edwin, Jerry a'r tri Almaenwr – mewn distawrwydd yn gwylio dawns y faner yn y gwynt, gyda'r tri Almaenwr yn gwneud eu gorau glas i ddeall arwyddocâd y seremoni. Ar hynny, clywodd y pump tawel fagnel yn saethu yn y pellter. Rhewodd Edwin. Doedd bosib bod yr Indiaid wedi cael gafael ar arfau? Saethwyd y magnel am yr eildro a rhedodd Jerry i gyfeiriad yr ystordy i mofyn ei fagnel yntau. Saethwyd y fagnel yn y pellter am y trydydd tro, ond bellach gallai Edwin glywed gwaeddiadau yn gymysg â'r sŵn saethu y tro hwn. Nid sgrechian y Tehuelche mohono. Gwaeddiadau o orfoledd a glywai. Gwaeddiadau Cymraeg. Rhedodd Edwin tua'r clogwyni gyda'r gweision yn ei ddilyn fel cysgodion. Dechreuodd y Bonwr chwerthin a chrio bob yn ail, a disgynnodd ar ei bengliniau ynghanol y creigiau mewn hapusrwydd pur. Cododd Jerry ef ar ei draed a dechreuodd y ddau chwifio'u breichiau'n gylchoedd fel melinau gwynt. Cydiodd Edwin yn y fagnel a saethodd i'r awyr. Gallai'r Almaenwyr glywed synau curo dwylo brwd fel saim yn ffrio yn y pellter. Edrychodd y tri dros ysgwydd eu meistr gyda chwilfrydedd. O'u blaen roedd dwy long fechan yn hwylio'n gyfochrog â'i gilydd tua'r bae a'r holl deithwyr ar y llongau hyn yn gweiddi ac yn gweddïo, yn dathlu ac yn canu. Cenedl wallgof yn wir oedd y Cymry.

*   *   *

Roedd un ferch, serch hynny, yn hynod dawedog ar fwrdd y *Mimosa*. Er i'w thad ei gwasgu gan ei mygu â nerth ei freichiau, ac i sgrechiadau'r fintai o'i chwmpas ei byddaru, nid oedd yr un emosiwn yn corddi y tu mewn i Jane. Teimlai fel pe bai mewn breuddwyd, yn hofran fry uwchben ei chorff ei hun ac yn edrych i lawr ar y perfformiad fel pe bai'n olygfa mewn drama. Ni theimlai'n rhan o'r dathliad, ni theimlai fel petai'n perthyn i'r gorfoledd a addurnai'r wynebau o'i chwmpas. Camodd o afael ei thad (er na sylwodd y Parch. yn ei lawenydd) a brwydro'i ffordd drwy'r dorf i mofyn ei hiâr. Roedd y mochyn wedi hen ddiflannu i gegau'r criw ac ambell aelod ffodus o'r fintai, gan adael yr iâr fach yn hynod unig yn y gorlan da byw. Ni wyddai Jane sut y bu ei hiâr mor ffodus i fyw gyhyd, ond o edrych yn feirniadol ar yr ysgerbwd pluog sylweddolai Jane na fyddai'n bryd digonol i un, heb sôn am fod yn wledd i griw newynog o ddeuddeg morwr.

Cododd Jane y cawell i'w chôl ac agor y drws rhydlyd. Estynnodd am yr iâr gan ei mwytho'n dyner a sibrwd atgofion yn ei chlust. Atgofion am y siglen ar y goeden dderw ac am yr afalau surion bach o'r berllan ar waelod yr ardd. Atgofion am gasglu llus ar lethrau mynydd Nefyn ac arogl y cloddiau eithin. Atgofion am y Garn. Atgofion am ei mam. Yr holl bethau cyfrin hynny yr oedd Jane yn berchen arnynt.

Estynnodd Jane ei breichiau dros ochr y llong a gadawodd i'r iâr ymestyn ei hadenydd ac i adael ei gafael gan hedfan yn gyflym oddi wrthi dros y tonnau.

'Hei Jane! Diawl, dwi 'di ffendio gŵr i ti!' gwaeddodd Alice arni o ganol y dorf gan bwyntio'i bys at y gŵr tenau a safai ar ben clogwyn yn y pellter yn chwifio'i freichiau arnynt. Nesaodd Jane at y dorf gan graffu ar y gŵr od â'i wisg go ryfedd yn sefyll yn dalog gyda'r Ddraig Goch yn chwifio y tu ôl iddo. Gallai Jane deimlo rhywun yn syllu arni a throdd yn sydyn i weld y llanc llygad gwydr yn edrych i lawr arni o'i nyth ar y rhaffau uwch ei phen. Gwenodd.

Gwthiodd Jane ei ffordd drwy'r dorf gan swatio o dan gesail cynnes y Parch. Arnallt Morgan.

*   *   *

Roedd yn gas gan Teo gasglu *guano*. Gwaith merch oedd peth felly. Wrth gwrs fe wyddai mai cosb oedd hyn am iddo 'fenthyg' hoff stalwyn ei dad un noswaith gan beri i'r llwyth cyfan orfod chwilio amdano drwy'r nos nes iddynt ddod o hyd iddo ym Mhenta Arenas. Beth oedd yn bod ar fachgen ifanc yn dymuno cael ei gwmni ei hun? Nid oedd posib cael munud o breifatrwydd ym mhabell ei deulu gyda'i frodyr a'i chwiorydd bychain yn mynnu ei sylw o fore gwyn tan nos. Roedd pethau'n waeth ers i'w dad briodi ei ail wraig a'i symud (ynghyd â'i theulu oll) i rannu'r babell fechan.

Ceisio hela ar ei ben ei hun wnaeth Teo y noswaith honno ar gefn stalwyn ei dad. Roedd y bachgen eisoes wedi dod o hyd i braidd o *guanacos* yn pori nid nepell o'r gwersyll, ond ni ddywedodd wrth ei dad. Gwyddai pe bai'n gwneud hynny y byddai'r llwyth i gyd yn ymuno yn yr hela gan ddifetha'i gyfle i brofi ei allu fel heliwr cystal ag Elal ei hun. Pam fod angen i'r llwyth wneud popeth gyda'i gilydd? Prin y teimlai'r bachgen ei fod yn cael llonydd i ryddhau ei

215

bledren heb fod aelod hŷn o'r llwyth yn ei gynghori sut i biso'n syth. 'Na, nid fel 'na, Teo,' 'Y ffordd yma sydd orau, Teo,' 'Fel hyn, Teo!' Roedd wedi cael digon ar eu cynghori cyson ac fe aeth i hela'r *guanacos* mewn ymdrech i'w profi'n anghywir. Ond, yn hytrach, fe gollodd lwybr y *guanacos* yn y tywyllwch a llwyddodd i gael ei daflu oddi ar y stalwyn am iddo gicio'r anifail yn ei gynddaredd. A'i gosb am y cyfan oedd casglu *guano* ddiawl.

Yn sydyn daeth ias dros y clogwyni gan godi croen gŵydd hyd gorff Teo. Cododd o'i waith gan graffu tua'r gorwel a chlymu ei orchudd o groen *guanaco* yn dynn amdano. Gallai glywed synau brawychus ar yr awel; ffrwydradau, rhegfeydd, sgrechiadau. A oedd Kooch ei hun yn ei gosbi am ei anufudd-dod? Er bod ei gorff yn crynu gan ofn, cerddodd Teo'n araf i gael cip dros ochr y clogwyn i weld beth oedd achos y sŵn. O'i flaen gallai weld llongau'n dod i mewn i'r bae drwy'r tarth fel ysbrydion. Nid Sbaenwyr mohonynt – fe wyddai hynny o'r faner ddieithr a chwifiai'n fygythiol yn y gwynt. Syllodd Teo'n fud am beth amser yn amsugno'r olygfa frawychus. Syllodd ar y cwch bychan a gariai rhyw lwyth newydd o bobl mewn gwisgoedd dieithr i'r lan. Syllodd ar y llanciau ifanc yn rhedeg yn wallgof hyd y traeth, a'r merched a'r plant yn cofleidio'i gilydd. Syllodd ar y gwŷr hŷn â blewiach trwchus yn tyfu ar eu hwynebau yn ysgwyd llaw ac yn chwerthin. Syllodd ar y llwyth cyfan yn cyd-gerdded hyd y lan cyn llithro i lonyddwch y gorwel.

Gadawodd sodlau'r fintai eu stamp yn y tywod ond daeth awel o'r bryniau'n cario llwch y paith ar ei gefn gan daenu gronynnau mân dros yr ôl traed.